SAINT-DENYS-GARNEAU

# POÉSIES

*REGARDS ET JEUX DANS L'ESPACE*

*LES SOLITUDES*

COLLECTION DU

NÉNUPHAR

*les meilleurs
auteurs canadiens*

*INTRODUCTION DE ROBERT ÉLIE*

FIDES

# POÉSIES

## *REGARDS ET JEUX DANS L'ESPACE*

## *LES SOLITUDES*

COLLECTION PUBLIÉE SOUS

LA DIRECTION DE

LUC LACOURCIÈRE

PROFESSEUR À L'UNIVERSITÉ LAVAL

# SAINT-DENYS-GARNEAU

# POÉSIES

## REGARDS ET JEUX DANS L'ESPACE

## LES SOLITUDES

*INTRODUCTION DE ROBERT ÉLIE*

*Nouvelle édition*

COLLECTION DU

NÉNUPHAR
*les meilleurs
auteurs canadiens*

**FIDES**
235 est, boulevard Dorchester, Montréal

CE VOLUME, LE TRENTE-SIXIÈME DE LA COLLECTION
DU NÉNUPHAR, A ÉTÉ RÉIMPRIMÉ À QUATRE MILLE
EXEMPLAIRES SUR PAPIER VERGÉ DE LUXE ET ACHE-
VÉ D'IMPRIMER À MONTRÉAL, POUR LE COMPTE DES
ÉDITIONS FIDES, PAR LES PRESSES ELITE, LE PREMIER
JOUR DU MOIS D'OCTOBRE DE L'AN MIL NEUF CENT
SOIXANTE-QUINZE.

Numéro de la fiche de catalogue
de la Centrale des Bibliothèques — CB : 72-3605

ISBN : 0-7755-0444-0

© *Éditions Fides* — *1972*

# AVERTISSEMENT

*LA PRÉSENTE ÉDITION rassemble en un volume l'œuvre poétique de Saint-Denys-Garneau, à l'exception des poèmes du collégien, qui nous ont paru nettement inférieurs et impersonnels, et d'esquisses de poèmes en prose que nous pouvions difficilement détacher du Journal parce qu'elles en prolongent certaines méditations et qu'elles se rattachent à un mode d'expression bien différent de celui des poèmes que nous publions ici.*

*Pour* Regards et Jeux dans l'Espace, *nous avons demandé aux éditeurs de reproduire exactement l'édition originale que l'auteur avait lui-même préparée.*

*Pour les poèmes inédits, nous avons vainement essayé d'en établir avec exactitude l'ordre chronologique. Saint-Denys-Garneau avait recopié plusieurs de ces poèmes dans les cahiers de son Journal, mais, pour d'autres, nous n'avons retrouvé que des brouillons sur feuilles détachées.*

*Pour notre classement, nous avons suivi l'ordre des thèmes en nous référant au Journal qui nous fournissait de précieux renseignements et la date de composition*

7

*de quelques poèmes. Nous avons pu constater que chaque groupe de poèmes correspondait à l'une des phases de la crise intérieure que le Journal nous décrit et nous avons voulu indiquer la même évolution.*

*Quant au titre du recueil des poèmes inédits,* Les Solitudes, *il s'est imposé à nous, comme l'ordre des poèmes, après une longue fréquentation. Il y a tant d'images qui évoquent la solitude qu'il suffit de prononcer ce mot pour que d'autres viennent s'y accoupler : pièges de la solitude, solitudes intérieures, etc. Mais comment choisir entre tant d'expressions d'une même expérience ? Et n'est-il pas préférable de laisser ce mot, comme un aimant, entre les mains du lecteur ? On verra aussi qu'un vers ou quelques mots d'un vers constituent le titre de chacun des groupes de poèmes.*

*Pour la typographie, nous n'avons pas recherché à imiter jusque dans le détail les exemples que l'auteur nous avait laissés dans* Regards et Jeux dans l'Espace. *On comprendra qu'il n'était arrivé à certaines tournures particulièrement expressives qu'à la suite de nombreuses corrections qui portaient souvent sur plusieurs vers, travail que nous ne pouvions entreprendre. Cependant, quand le vers était trop long et qu'un rejet s'imposait, nous avons adopté une solution qui nous paraissait correspondre au caractère de sa poésie et, à deux ou trois endroits, nous avons remplacé une virgule par un rejet, parce que ce changement semblait tout à fait nécessaire.*

Jean LE MOYNE
Robert ÉLIE

# INTRODUCTION

L'ŒUVRE de Saint-Denys-Garneau a cette beauté et
cette noblesse particulières des témoignages vrais,
et je n'en connais pas de plus émouvant ni de plus
loyal. Le compagnon fantasque d'innombrables aventures, l'ami généreux que la douleur devait dépouiller,
parce qu'il s'offrait à tous les appels, livre ici son secret,
du moins à ceux qui ont découvert en eux un univers
sans horizon où nous entraîne toute poésie digne de ce
nom. Mais le poète qui livre le secret de sa vie, ne fait
que nous révéler un mystère qui est celui de notre destinée autant que de la sienne. Par là son chant nous
émeut : c'est une voix fraternelle, et il semble même
que nous l'avions déjà entendue prononcer dans le
silence ces mots que nous lisons pour la première fois.

Saint-Denys-Garneau, comme beaucoup de collé-
giens, a joué au poète avant de le devenir, mais il a
suffi d'une émotion un peu vive pour qu'il ouvrît sur
le monde des yeux neufs. Il ne savait pas encore la
traduire, mais elle éveillait des besoins nouveaux, un
désir que la nature se montrera bientôt incapable de
satisfaire. Il retrouvera ces impressions d'enfance dans

toute leur fraîcheur au mois d'août 1935, et il écrira les charmantes « esquisses en plein air » de *Regards et Jeux dans l'Espace*. Il avait 22 ans et, pour la première fois, son chant n'en rappelait aucun autre. Sa poésie est née au cours d'un été qui ne fut pas particulièrement heureux et après une année où il avait vu son inquiétude — naturelle chez un adolescent sensible — se transformer en angoisse. L'oiseau noir se logeait dans son âme et aucune douleur ne pouvait se comparer à ses morsures. Au commencement de son *Journal*, à la date du 5 février 1935, Saint-Denys-Garneau écrit : « J'ai connu la semaine dernière une expérience intérieure de délaissement, d'humiliation, de solitude. » Il ajoute que, sans la grâce, « cette sensation de précarité, d'inutilité, d'impuissance m'aurait mené à une sorte de folie désespérée, abandon de tout l'être à un obscur aveuglement dont, depuis cet automne surtout, je sens la menace ».

Au moment où il commence son œuvre, il sait que le salut ne peut venir de la poésie, mais peut-être de cet amour dont elle procède et qu'elle avive, de cet élan qui l'arrache de lui-même et ne peut le conduire qu'à l'absolu. C'est avec la gravité de l'enfant qui remue ciel et terre qu'il ouvre sa boîte de mots, mais ce jeu l'entraînera plus loin qu'il ne peut prévoir. Il cherchera à purifier la source, comprenant que le désir de possession est illusoire et que la charité est le seul amour véritable. Le 5 février, il écrivait encore que, malgré sa faiblesse, à cause même de cette faiblesse, il lui est impossible de choisir le mal : « À moins d'un aveuglement, d'un obscurcissement de l'esprit que peut-être le refus de la grâce pourrait amener, je crois que cette certitude demeurera entière dans mon esprit. » Il reprend aussitôt : « Elle m'apporte la joie, cette certitude, une joie imprévoyante, confiante, toute tranquille, et qui m'engage de plus en plus à me dépouiller de tous mes petits mensonges qui lui font obstacle. »

Qu'ils seront rares ces moments de « joie tranquille » et que d'orages ne devra-t-il pas essuyer ! Voici au moins une promesse de joie — « Je marche à côté d'une joie » — et elle le soutiendra dans cette « ronde des pas perdus » que sera sa vie et aux heures où l'angoisse le pénétrera jusqu'aux os.

Les jeux sont faits et il doit renoncer aux innocentes tricheries de l'adolescence. Il s'avance sur la dure voie du dépouillement, mais ce ne serait rien encore si la bête ne le dévorait pas de l'intérieur. Il ne lui reste plus qu'à jouer à qui perd gagne, et il fait le pari. Ses poèmes nous diront comment il s'est approché de la mort, de la fin toujours attendue et toujours mystérieuse des contes vécus.

Les quelques lignes du *Journal* que nous venons de citer nous rappelleront à quelle hauteur sa poésie se situe et de quelles profondeurs nous arrive cette voix d'enfant des « jeux », la même qui proférera les cris d'agonisant des poèmes posthumes.

Cette poésie est la fraternelle confidence d'une âme que la douleur met à nu, le précieux témoignage de cette rencontre décisive d'un homme avec sa destinée, qui est déjà l'expérience de la mort. Quel ancien compagnon reconnaîtra dans ce poète de la nuit et de la solitude l'étudiant dont on se racontait avec amusement

11

les frasques audacieuses ? Les moins perspicaces se rassuraient après un moment d'étonnement, et les gestes les plus étranges de ce poète ne les inquiétaient pas plus que les cheveux longs ou la barbe frisonnante d'autres jeunes littérateurs.

Saint-Denys-Garneau ne portait pas les cheveux longs, même s'il n'était pas très exact dans ses rendez-vous avec le coiffeur, et sa tenue, si elle était parfois négligée, n'avait rien d'extravagant. Grand, maigre, musclé, il lui suffisait de se redresser pour avoir l'élégance que certains jeunes bourgeois cherchaient en vain. Mais le spectacle ne l'intéressait pas et il oublia complètement un rôle où il avait su briller. Dans cette figure si fine, des photographies nous montrent une certaine réserve, presque de la hauteur, mais elles sont moins fidèles que d'autres qui nous livrent un visage éclairé de l'intérieur, le masque de son âme et de sa poésie.

Saint-Denys-Garneau a écrit son œuvre, du moins ce qui mérite d'y prendre place, en trois ans, de 1935 à 1938. Cette reconnaissance s'est poursuivie sans maître, avec quelques amis qui en étaient aussi à la période de la découverte. Il leur lisait les poèmes qu'il devait publier au printemps de 1937 et ses lettres les renseignaient avec une totale franchise sur son état spirituel. Il a composé la plupart de ses poèmes à Montréal, dans des restaurants où il passait parfois ses après-midi, ou chez lui, après l'une de ces interminables soirées qui commençaient autour d'un phonographe pour se terminer presque au matin dans un restaurant encore. Ces jeunes affamés pouvaient écouter d'affilée deux ou trois symphonies, un quatuor et quelques chansons de Debussy ou de Schubert, et faire jouer encore *l'Art de la Fugue,* cette autre *Imitation de Jésus-Christ,* disait Saint-Denys-Garneau. Ils se lançaient ensuite dans des considérations parfois brumeuses, mais toujours ardentes, sur la poésie, cette étonnante poésie qui avait toutes les grâces sacrées et profanes et qui pouvait les conduire, à travers des forêts habitées de faunes, jusqu'à la source pure de l'Évangile.

La crise intérieure, qui se préparait depuis longtemps, mais qui éclate brusquement dans sa vingt-deuxième année, transforma sa vie et sa poésie en quelques mois. Dès le début, il en saisit le sens et la gravité, mais il ne s'avoue pas qu'elle le conduit à un complet dépouillement. Jusqu'à la publication de *Regards...,* et peut-être même après 1937, il espéra quelque secours de l'art, mais, s'il se montrait d'une curiosité infatigable, il abandonnait toujours la partie au moment où il approchait du but. Qu'il était difficile de lui arracher l'article qui était presque terminé ou le poème auquel il apportait les dernières retouches ! Dans les réunions avec ses amis, où il se montrait souvent d'une drôlerie irrésistible, il lui arrivait de se taire brusquement et ce que ses compagnons pouvaient surprendre dans son regard les intriguait, mais ils n'osaient pas encore l'interroger : c'était moins de l'angoisse qu'une extrême gravité, du moins avant qu'il ne s'isolât, comme s'il venait de se tourner vers la mort, le commencement de Dieu, peut-être un commencement, une promesse encore dont il devait attendre l'accomplissement.

Il faut chercher à notre tour la signification de cette crise intérieure. En son fond, elle n'a rien d'exceptionnel et elle se produit tôt ou tard dans la vie de tous les êtres promis à une haute vocation. Sans doute, ne la traverse-t-on pas sans trébucher et nous fait-elle perdre à tout jamais l'assurance de Mr Babbitt. Elle s'accompagne de graves dangers et peut même conduire à un aveuglement complet, mais on ne peut la définir en détachant du contexte de la vie certains signes extérieurs qui ont inquiété les contemporains de presque tous les poètes et d'un grand nombre de saints. Une œuvre d'une authenticité aussi certaine que celle de Saint-Denys-Garneau nous renseignera mieux. Chaque poème, chacune des pages du *Journal* apportent quelque lumière sur ces moments décisifs de vie intérieure, et tant de paroles belles et graves nous en indiquent le sens que nous serions inexcusables de n'y voir que les phases de quelque maladie cataloguée. Ces crises échappent à la science, comme la vie, et le savant qui croit les expliquer entièrement n'est pas moins présomptueux que le professeur qui jugerait de la beauté d'un poème selon les règles de la grammaire.

Chez Saint-Denys-Garneau, deux événements normaux de la vie intérieure se produisent simultanément, tandis que des années les séparent chez d'autres. À 22 ans, il fait cette rencontre décisive avec sa destinée, qui est la découverte de sa vocation de poète, et cette autre rencontre avec la mort, qui lui révèle en même temps le vrai visage de la vie. Ces rencontres ne se font pas sans crises et les génies les plus vigoureux n'ont jamais réussi à surmonter leur premier trouble.

Vraiment, seules les natures médiocres peuvent prétendre dominer leur vie comme si la mort leur était soumise. Ces expériences conduisent l'homme à la solitude et au silence et, s'il peut encore vivre de foi et d'espérance, il saura que ni l'amour, ni la poésie ne lui assureront une victoire définitive. Au bout de tous les chemins, il y a la mort, cette nuit totale que Saint-Denys-Garneau évoque dans ses derniers poèmes. Les échecs de l'amour et de la poésie lui rappelleront qu'il n'est pas maître de sa destinée, et, dans cette situation, l'homme doit résister à la tentation du désespoir qui revient à la moindre fatigue. Voilà où la santé physique et morale intervient, et beaucoup d'autres choses, tels la situation matérielle, le climat plus ou moins favorable de l'époque et du milieu. Sans rien changer au caractère de la crise, les conditions de la vie peuvent la rendre plus douloureuse et même désespérée.

Il serait intéressant d'examiner les circonstances extérieures de cette crise, mais nous nous contenterons aujourd'hui d'étudier les deux moments d'une situation qui nous paraît normale, même si elle est tragique. Quand Saint-Denys-Garneau s'abandonne au plaisir de chanter, au milieu de ce douloureux été de 1935, et quand il commence son *Journal* et qu'il s'interroge sur sa vie, au début de la même année, il y a déjà quelques mois qu'il a pris nettement conscience de sa vocation et que la réalité du monde lui est apparue assez mal assurée. La foi et l'espérance qui le soutenaient dans ces moments de « lucidité aiguë », le conduisaient vers le Christ qu'il ne savait pas si près. À son grand étonnement, il se découvrait profondément chrétien et ne pouvait concevoir d'autre amour que la charité. Pourtant, il s'était cru païen, et les maîtres de sa jeunesse avaient désespéré de son sort parce qu'il refusait de prendre les assurances qui font le catholique moyen.

Pour le poète, chanter est à la fois un plaisir et une nécessité. Il lui faut s'exprimer et dégager son âme de tous les masques qu'il porte depuis le jour où il a cessé de jouer pour lui-même. Dans cette recherche, la réflexion ne suffit pas, et nous aboutissons à une abstraction quand nous croyions pénétrer en nous-même. Mais le poète se projette dans son chant, et, si l'expression est vraie, l'image le sera aussi. À ce moment, le dernier masque est tombé et le poème met son auteur en face de lui-même pour la première fois. Les *Esquisses en plein air* ne lui offraient qu'une image assez pâle, mais elle se précisera en quelques mois, car il devait écrire avant mars 1936 quelques-uns de ses plus beaux poèmes.

Pour Saint-Denys-Garneau, dont la pensée se révèle d'une étonnante maturité dans son *Journal,* cette confrontation avec lui-même est une expérience grave. Cet inconnu l'inquiète et il comprendra qu'il ne peut sans un long travail et une dure ascèse, devenir vraiment lui-même et donner un sens à sa vie. Sans doute connaît-il la tentation de remettre le masque qui vient de tomber ou d'en fabriquer un autre, mais c'est inutile. Il s'engagera dans cette voie qui s'ouvre devant lui, sa propre voie où il aura quelque chance de vivre sa vie, sinon de la dominer, mais où il sera seul. La confrontation avec soi-même et la découverte du sens unique, de notre vie nous conduisent à cette solitude irrémédiable dont Saint-Denys-Garneau a eu le sentiment très vif et qui a tourmenté tous les poètes. Bientôt, les moments d'exaltation et de création seront suivis d'une telle lassitude que tout lui semblera vain et sans doute portera sur la réalité même de la vie. Ces fréquents replis sur lui-même le ramèneront au bord du néant, au cœur de sa solitude, et il devra reconnaître, puisque la poésie ne peut le délivrer, qu'il n'existe pas d'autre issue que la mort. Il reste à surmonter la tentation du désespoir, mais il n'y a pas de victoire définitive, ou à apprivoiser la mort, mais elle nous échappe quand nous croyons en avoir surpris le secret.

On trouvera dans le *Journal* de Saint-Denys-Garneau d'innombrables réflexions qui se rapportent à ce deuxième moment de la crise intérieure, qui correspond à l'établissement définitif dans la solitude. Il a bien vu que si la mort est la seule issue, le christianisme nous permet d'en faire l'expérience sans périr, et ce moyen de salut, c'est le don de soi-même. Le 30 janvier 1938, au début du dernier cahier de son *Journal,* il écrit : « Je me sens si désolé, dévasté, que je ne puis concevoir (d'occupation intérieure). Il reste un état d'attente... Mais il me faut réaliser le don. »

Dans une page de ses *Confessions,* Tolstoï décrit cette expérience de la mort, qu'il ne devait faire qu'à 47 ans, dans des termes très proches de ceux que Saint-Denys-Garneau emploie dans son *Journal.* Chose remarquable, tous les journaux intimes se recoupent sur ce point et, récemment encore, un ami trouvait dans le journal de Kafka des réflexions que Saint-Denys-Garneau aurait pu écrire. C'est qu'un journal intime

17

vraiment digne de ce nom ne fait que décrire les divers états d'une solitude que son auteur sait irrémédiable. Sa voix nous rejoint de l'autre côté du monde, et elle ne peut nous atteindre que dans notre solitude. Je m'excuse de ne citer qu'une dizaine de lignes de cette page des *Confessions* : « Il y a cinq ans, quelque chose d'étrange commença à se manifester en moi. D'abord, ce furent des moments d'étonnement, d'arrêt de la vie, comme si je ne savais pas comment vivre, ni que faire ; et je devenais inquiet et triste... Il m'arriva ce qui arrive à quiconque tombe malade d'une maladie intérieure mortelle. D'abord paraissent les symptômes infimes du mal, auxquels le malade ne fait point attention ; ensuite ces symptômes se montrent de plus en plus souvent et se résument en une souffrance unique et continue. La souffrance augmente et le malade n'a pas le temps de se détourner qu'il reconnaît que ce qu'il prenait pour une indisposition est ce qu'il a pour lui le plus d'importance au monde : la Mort. » Tolstoï ajoute : « Je sentis que le sol sur lequel je me tenais debout se dérobait, qu'il n'y avait plus rien où je puisse me retenir, que ce dont je vivais n'était plus, et que je n'avais rien pour le remplacer. » Charles Du Bos a raison de souligner [1] que la crise se produit ici chez un homme d'une vigueur peu commune et qui a conservé jusqu'à un âge avancé cet équilibre qui rassure les médecins. Saint-Denys-Garneau ne jouissait pas d'une santé exceptionnelle qui lui eût permis de traverser sans défaillance une telle crise. Il lui apparaîtra

---

1. Dans *Vues sur Tolstoï*, étude recueillie dans *Approximations* (quatrième et cinquième séries).

de plus en plus difficile de revenir au jour et, bientôt, il ne sera plus « qu'une bonne volonté tendue dans le désert ». Il aura encore la force de prier et, dans cette situation, une prière est un acte d'héroïsme ; il aura toujours le courage de résister au désespoir, de refuser ce refuge que le rêve offre à tant d'esprits brisés.

Dans ce dénuement extrême, l'homme peut encore s'appuyer pour vivre sur sa douleur et sa pauvreté, dont le christianisme a voulu faire ses véritables richesses. Saint-Denys-Garneau affirme qu'on ne rejoint la douleur et la pauvreté que par la charité et, pour employer les mots des pages si profondes de la fin de son *Journal,* on ne peut *s'engager à la douleur et à la pauvreté,* ni leur *rendre justice* sans *l'abnégation* et *l'offrande de soi-même.* À la date du 26 avril 1938, nous trouvons ces réflexions dans l'esquisse d'un conte : « Il aurait voulu faire quelque chose pour cette douleur, s'y engager, oui, s'engager à la douleur : être là pour toujours y répondre, la prendre sur soi, la « ressentir », en être blessé profondément, éternellement. » Il dit encore de ce malheureux frère : « Il était sollicité au delà de cette compassion présente, il avait besoin de la sauver de quelque façon, lui conférer une valeur éternelle. Pour cela, il eût dû prier, associer cette douleur, à travers la communion des saints, à celles de Jésus, notre Frère. »

Il ira même jusqu'à mépriser sa douleur, à juger *illusoires* ses moments de désespoir, et à ne vouloir être attentif qu'à la douleur des autres : « Il faut répondre à chaque douleur des autres, à chaque cri de douleur que nous entendons (qui vient d'un défaut de détachement, d'abnégation, de ce qu'ils ne résident pas dans le lieu de la paix du Seigneur) par un acte personnel de détachement et d'abnégation de soi-même... J'ai l'impression que sans cela ils sombrent et nous sombrons ; et que nous sombrons plus qu'eux dans l'entraînement du désespoir (ou de l'endurcissement) parce qu'eux sont engagés dans le drame d'une façon vitale ; leur instinct de conservation joue, et, surtout, ils ne sont pas tentés au-dessus de leurs forces, ils ont la grâce ; tandis que nous, spectateurs, sommes sollicités du dehors : il nous faut ou bien fermer les yeux par une indifférence méchante, ou bien prendre part au drame par la sympathie, nous y engager ; et notre position étant plus lointaine, plus déliée et contrôlable, l'attitude que nous prenons sera plus responsable, supposera un engagement spirituel plus avancé. »

C'est le suprême renoncement. Les derniers poèmes, où reparaît et se développe le thème des os, nous rendent témoin de cette mort spirituelle, plus cruelle que l'autre parce que nous la voyons grandir en toute lucidité. Le 13 août 1938, Saint-Denys-Garneau écrit : « Je crois que je suis plus prêt à accepter... cette pauvreté, c'est-à-dire solitude. Cela grâce à un délai que Dieu m'accorde avec tant de miséricorde. »

Ses poèmes font écho à cette double expérience, surtout les premiers, ceux qui précèdent ou suivent immédiatement *Accompagnement*. Les derniers évoquent une solitude irrémédiable : le drame est accompli et les derniers efforts du poète visent à exprimer le silence et la nuit, sans espoir de les vaincre. Sans doute, n'a-t-il pas eu toujours la force, dans cette situation

20

tragique, de surveiller son langage et ses gestes. Il balbutie parfois ; à certains moments, sa lassitude est si grande qu'il en oublie des notions élémentaires ou devient incapable de retrouver le début ou la fin d'un poème que les vers transcrits nous laissent pourtant deviner.

Si nous croyons que la crise intérieure, et la solitude à laquelle elle conduit, constituent la voie normale de l'épanouissement spirituel, l'angoisse de Saint-Denys-Garneau nous étonnera moins, et nous n'irons pas l'expliquer par les seuls moments de faiblesse, comme on le fait trop souvent aujourd'hui avec une curiosité stupide et vraiment maladive. Enfin, si nous considérons les derniers poèmes comme l'expression de cette solitude intérieure qui est exigence d'absolu et, pour l'homme, l'état le plus élevé, nous nous étonnerons moins que cette expression soit parfois difficile et boiteuse.

\*

\* \*

L'œuvre de Saint-Denys-Garneau est le fruit d'une méditation poétique assurée et fidèle à son objet le plus haut, assurée bien qu'elle entraîne le poète dans cette nuit de l'esprit où il n'y a plus que la foi pour le soutenir, où non seulement la pensée de la mort, mais le moindre mouvement d'amour exige le don total de l'âme et se prélève sur l'être même. Nous sommes les témoins d'une expérience poétique qui s'accompagne d'un drame spirituel non moins décisif. Nous pouvons ici vraiment parler de la passion du poète, car l'engagement est entier, et la poésie, loin de lui offrir un refuge, accroît les exigences de la vie.

Que nous considérions l'enchaînement des thèmes, le développement de la pensée ou les étapes de la vie, nous arrivons à la même question fondamentale qui nous renseigne mieux sur l'homme et l'œuvre que les affirmations les plus décidées. Les premiers thèmes, ceux du *poète-enfant* et du *regard-oiseau,* exaltent un rêve d'innocence dans un monde qui échappe à la loi de la pesanteur. Mais des sœurs-fées accompagnent cet enfant pour lui rappeler l'irréalité du monde, et cet oiseau devient l'image de la mort. L'espace est d'une extrême transparence et, le jour comme la nuit, rien n'arrête le regard qui dépasse la ligne d'horizon. Dans cette étendue sans limite, les objets du paysage familier paraissent flotter dans l'air et nos gestes n'ont plus leur signification coutumière. Notre vie sur terre devient une *ronde des pas perdus* qui se développe sur deux plans parallèles selon des rythmes qui ne s'accordent pas toujours.

Les *jeux* conduisent le poète au bord d'un abîme qui sépare deux mondes qui nous sollicitent. La vie même est double et nous devons nous engager sur des voies distinctes, dont l'une s'arrête à l'horizon en même temps que notre cœur, tandis que l'autre s'étend bien au delà de la mort. Qu'on ne s'y trompe pas, le thème de l'*accompagnement,* qui trouve sa parfaite expression dans le dernier poème de *Regards et Jeux,* nous parle de cette duplicité de la vie et non pas du dédoublement d'une personnalité. Le poète prend conscience de la situation tragique de l'homme, et il en souffre horriblement, mais il n'en devient que plus lucide.

Toute l'histoire de la poésie n'est-elle pas un long commentaire de cette condition de la vie que l'homme ne peut surmonter seul même s'il y met tout son amour ! Pour être fidèle à son destin, il choisira la voie étroite et sans fin, mais il lui faudra quand même se rendre au bout du chemin de tous les jours. Les échecs de l'amour confirmeront le désaccord entre *animus* et *anima* et la mort sera la seule réponse à ce que les vieux moralistes appellent l'orgueil de la vie. Le christianisme indique une issue dans l'amour qui se dépasse lui-même, et qui est la charité, mais il nous engage sur la dure voie du dépouillement qui passe aussi par la mort et que Saint-Denys-Garneau a voulu suivre comme l'indiquent ses poèmes et des pages émouvantes de son *Journal*.

Avec les poèmes posthumes, nous pénétrons au cœur de cette situation qui a tourmenté les poètes et les penseurs modernes. Mais que devient la poésie dans cette tragédie spirituelle ? Saint-Denys-Garneau a voulu la défendre contre les exigences de la vie, et c'est involontairement qu'il a renoncé à « l'ancien jeu des vers », comme disait Apollinaire, au plaisir légitime, mais impossible à certaines époques, de soumettre la vie à l'art. Il est attiré en territoire inconnu et son œuvre se fait en même temps qu'il découvre le sens de son aventure. Dès le début son vers se brise, mais il veut que le poème soit un bel objet et il en polit les formes avec un soin d'orfèvre. C'était chez lui un tel besoin qu'il renoncera à publier des poèmes d'une très haute

23

inspiration dont quelques parties, un seul mot parfois, le laissaient insatisfait. Mais à mesure que les exigences de la vie se précisent, son art se dépouille et l'expression devient plus immédiate. Ce changement l'a inquiété et il l'a interprété parfois comme un signe d'appauvrissement quand nous y voyons aujourd'hui une promesse de grandeur. D'ailleurs, ce besoin de simplicité exigeait encore plus d'attention que les jeux subtils auxquels il se livrait avec bonheur.

Il n'a pu fournir cet effort pour tous les poèmes inédits. Quelques-uns ne sont qu'un premier jet qui aurait subi une complète métamorphose ; d'autres, mieux venus ou plus travaillés, n'auraient pas été publiés sans quelques retouches. Pourtant, nous ne nous perdons pas en regrets et le lecteur, qui aura saisi le sens profond de cette poésie, trouvera les ébauches très révélatrices. Il y a d'ailleurs assez de poèmes parfaits pour que nous puissions reconnaître dans tous les fragments le vrai visage de cette poésie.

Saint-Denys-Garneau doit renoncer progressivement aux prestiges de la parole, aux caprices du rythme, aux sonorités rares et même aux accords un peu vifs. Il s'en tient à des coupes et à des rythmes simples, conduisant la voix du lecteur, mais sans la commander. Le symbole retient toute notre attention, et sa puissance d'évocation, comme sa charge poétique, semblent décuplées. Plutôt que de rechercher le vocable précis, il préférera parfois accumuler les traits, et fouiller la forme plutôt que d'en indiquer seulement le volume. L'expression se simplifiera et, à la fin, quelques mots très simples, parce qu'ils éclatent dans le silence, suffiront à tout dire. Le poète n'a plus à transformer une matière brute, mais à exprimer ce qui appartient déjà à l'esprit, et qui vient même de ses profondeurs.

Saint-Denys-Garneau nous décrit les états multiples d'une solitude qui grandit. Au thème de l'accompagnement des choses succède celui de l'absence : le temps et l'ombre nous poursuivent et nous prennent « au piège d'une solitude définitive » ; l'ombre, aussi menaçante à midi qu'à minuit, l'emporte toujours sur la lumière ; les chemins que l'on suit au fond de la vallée se rompent comme un mauvais fil... Mais le poète semble parfois prévoir la fin de la nuit ; des messagers de lumière viennent à sa rencontre pour tout racheter « avec le matin de leurs yeux » ; il y a la Croix et il suffit d'un moment de confiance pour que reparaissent, après un cri de désespoir, l'enfant et l'oiseau, ses plus fraîches images : « De s'endormir en oiseau — D'être enfant pour s'endormir ».

Mais la mort le dépouille de tout, sauf de l'espoir, d'un espoir menacé qui doit chercher sa nourriture, non pas dans le silence du cœur, mais dans le silence des os. Nous en arrivons aux plus saisissantes visions du poète et nous nous savons très près du dénouement. Le thème des os s'affirme ici. Il s'agit de se dépouiller de cette enveloppe qui a participé aux mensonges de la vie, aux mensonges de notre propre vie. Notre squelette n'a pas été souillé ni déformé, et c'est la seule image vraie de nous-mêmes. Ainsi dépouillé, nous saurons vraiment ce que nous sommes et les reflets des sens ne viendront plus troubler notre intelligence, tellement incertaine quand elle s'exerce dans nos relations avec nos semblables et le monde. C'est l'épreuve décisive de notre réalité, bien au delà des intentions et des désirs qui ne sont que des illusions.

Il se taira bientôt et pour toujours. Sa correspondance, semble-t-il, s'arrête au plus tard en 1941. Il cherchera la paix dans une vie modeste, au contact de la nature et auprès de ceux qui peuvent l'aimer simplement. La lutte se poursuivra dans le silence jusqu'à sa mort, le 24 octobre 1943, à l'âge de 31 ans. Il était né le 13 juin 1912.

*Robert Élie*

# REGARDS ET JEUX
# DANS L'ESPACE

# I

## JEUX

Je ne suis pas bien du tout assis sur cette chaise
Et mon pire malaise est un fauteuil où l'on reste
Immanquablement je m'endors et j'y meurs.

Mais laissez-moi traverser le torrent sur les roches
Par bonds quitter cette chose pour celle-là
Je trouve l'équilibre impondérable entre les deux
C'est là sans appui que je me repose.

## LE JEU

Ne me dérangez pas je suis profondément occupé


Un enfant est en train de bâtir un village
C'est une ville, un comté
Et qui sait
        Tantôt l'univers.

Il joue

Ces cubes de bois sont des maisons qu'il déplace
                        et des châteaux
Cette planche fait signe d'un toit qui penche
                        ça n'est pas mal à voir
Ce n'est pas peu de savoir où va tourner la route
                        de cartes
Ce pourrait changer complètement
                        le cours de la rivière
À cause du pont qui fait un si beau mirage
                        dans l'eau du tapis
C'est facile d'avoir un grand arbre
Et de mettre au-dessous une montagne
                        pour qu'il soit en haut.

33

Joie de jouer ! paradis des libertés !
Et surtout n'allez pas mettre un pied dans
                                        la chambre
On ne sait jamais ce qui peut être dans ce coin
Et si vous n'allez pas écraser la plus chère
                                    des fleurs invisibles


Voilà ma boîte à jouets
Pleine de mots pour faire de merveilleux enlacements
Les allier séparer marier,
Déroulements tantôt de danse
Et tout à l'heure le clair éclat du rire
Qu'on croyait perdu


Une tendre chiquenaude
Et l'étoile
Qui se balançait sans prendre garde
Au bout d'un fil trop ténu de lumière
Tombe dans l'eau et fait des ronds.

De l'amour de la tendresse qui donc oserait en douter
Mais pas deux sous de respect pour l'ordre établi
Et la politesse et cette chère discipline
Une légèreté et des manières à scandaliser les
                                    grandes personnes

Il vous arrange les mots comme si c'étaient de
                                    simples chansons
Et dans ses yeux on peut lire son espiègle plaisir
À voir que sous les mots il déplace toutes choses
Et qu'il en agit avec les montagnes
Comme s'il les possédait en propre.
Il met la chambre à l'envers et vraiment l'on
                                    ne s'y reconnaît plus
Comme si c'était un plaisir de berner les gens.

Et pourtant dans son œil gauche quand le droit rit
Une gravité de l'autre monde s'attache à la feuille
                                    d'un arbre
Comme si cela pouvait avoir une grande importance
Avait autant de poids dans sa balance
Que la guerre d'Éthiopie
Dans celle de l'Angleterre.

Nous ne sommes pas des comptables


Tout le monde peut voir une piastre de papier vert
Mais qui peut voir au travers
                              si ce n'est un enfant
Qui peut comme lui voir au travers en toute liberté
Sans que du tout la piastre l'empêche
                                          ni ses limites
Ni sa valeur d'une seule piastre


Mais il voit par cette vitrine des milliers de
                              jouets merveilleux
Et n'a pas envie de choisir parmi ces trésors
Ni désir ni nécessité
Lui
Mais ses yeux sont grands pour tout prendre.

## SPECTACLE DE LA DANSE

Mes enfants vous dansez mal
Il faut dire qu'il est difficile de danser ici
Dans ce manque d'air
Ici sans espace qui est toute la danse.


Vous ne savez pas jouer avec l'espace
Et vous y jouez
Sans chaînes
Pauvres enfants qui ne pouvez pas jouer.


Comment voulez-vous danser j'ai vu les murs
La ville coupe le regard au début
Coupe à l'épaule le regard manchot
Avant même une inflexion rythmique
Avant, sa course et repos au loin
Son épanouissement au loin du paysage
Avant la fleur du regard alliage au ciel
Mariage au ciel du regard
Infinis rencontrés heurt
Des merveilleux.

La danse est seconde mesure et second départ
Elle prend possession du monde
Après la première victoire
Du regard

Qui lui ne laisse pas de trace en l'espace
— Moins que l'oiseau même et son sillage
Que même la chanson et son invisible passage
Remuement imperceptible de l'air —
Accolade, lui, par l'immatériel
Au plus près de l'immuable transparence
Comme un reflet dans l'onde au paysage
Qu'on n'a pas vu tomber dans la rivière

Or la danse est paraphrase de la vision
Le chemin retrouvé qu'ont perdu les yeux dans le but
Un attardement arabesque à reconstruire
Depuis sa source l'enveloppement de la séduction.

# RIVIÈRE DE MES YEUX

Ô mes yeux ce matin grands comme des rivières
Ô l'onde de mes yeux prêts à tout refléter
Et cette fraîcheur sous mes paupières
Extraordinaire
Tout alentour des images que je vois

Comme un ruisseau rafraîchit l'île
Et comme l'onde fluente entoure
La baigneuse ensoleillée

# II

# ENFANTS

# I

Les enfants
Ah ! les petits monstres

Ils vous ont sauté dessus
Comme ils grimpent après les trembles
Pour les fléchir
Et les faire pencher sur eux

Ils ont un piège
Avec une incroyable obstination

Ils ne vous ont pas laissés
Avant de vous avoir gagnés

Alors ils vous ont laissés
Les perfides
        vous ont abandonnés
Se sont enfuis en riant.

Il y en a qui sont restés
Quand les autres sont partis jouer
Ils sont restés assis gravement.


Il en est qui sont allés
Jusqu'au bout de la grande allée

Leur rire s'est suspendu

Pendant qu'ils se retournaient
Pour vous voir qui les regardiez

Un remords et un regret

Mais il n'était pas perdu
Il a repris sa fusée
Qu'on entend courir en l'air
Cependant qu'eux sont disparus
Quand l'allée a descendu.

## II

## PORTRAIT

C'est un drôle d'enfant
C'est un oiseau
Il n'est plus là

Il s'agit de le trouver
De le chercher
Quand il est là

Il s'agit de ne pas lui faire peur
C'est un oiseau
C'est un colimaçon.

Il ne regarde que pour vous embrasser
Autrement il ne sait pas quoi faire
                                    avec ses yeux

Où les poser
Il les tracasse comme un paysan sa casquette

Il lui faut aller vers vous
Et quand il s'arrête
Et s'il arrive
Il n'est plus là

Alors il faut le voir venir
Et l'aimer durant son voyage.

# III

# ESQUISSES
# EN PLEIN AIR

*La voix des feuilles*
*Une chanson*
*Plus claire un froissement*
*De robes plus claires aux plus*
                    *transparentes couleurs.*

## L'AQUARELLE

Est-il rien de meilleur pour vous chanter
                                    les champs
Et vous les arbres transparents
Les feuilles
Et pour ne pas cacher la moindre des lumières

Que l'aquarelle cette claire
Claire tulle ce voile clair sur le papier.

# FLÛTE

Tous les champs ont soupiré par une flûte
Tous les champs à perte de vue ondulés sur les
                                              buttes
Tendus verts sur la respiration calme des buttes

Toute la respiration des champs a trouvé ce petit
ruisseau vert de son pour sortir
À découvert
Cette voix verte presque marine
Et soupiré un son tout frais
                    Par une flûte.

## SAULES

Les saules au bord de l'onde
La tête penchée
Le vent peigne leurs chevelures longues
Les agite au-dessus de l'eau
Pendant qu'ils songent
Et se plaisent indéfiniment
Aux jeux du soleil dans leur feuillage froid
Ou quand la nuit emmêle ses ruissellements.

## LES ORMES

Dans les champs
Calmes parasols
Sveltes, dans une tranquille élégance
Les ormes sont seuls ou par petites familles.
Les ormes calmes font de l'ombre
Pour les vaches et les chevaux
Qui les entourent à midi.
Ils ne parlent pas
Je ne les ai pas entendus chanter.
Ils sont simples
Ils font de l'ombre légère
Bonnement
Pour les bêtes.

## SAULES

Les grands saules chantent
Mêlés au ciel
Et leurs feuillages sont des eaux vives
Dans le ciel

Le vent
Tourne leurs feuilles
D'argent
Dans la lumière
Et c'est rutilant
Et mobile
Et cela flue
Comme des ondes.

On dirait que les saules coulent
Dans le vent
Et c'est le vent
Qui coule en eux.

C'est des remous dans le ciel bleu
Autour des branches et des troncs
La brise chavire les feuilles
Et la lumière saute autour
Une féerie
Avec mille reflets
Comme des trilles d'oiseaux-mouches
Comme elle danse sur les ruisseaux
Mobile
Avec tous ses diamants et tous ses sourires.

# PINS À CONTRE-JOUR

Dans la lumière leur feuillage est comme l'eau
Des îles d'eau claire
Sur le noir de l'épinette ombrée à contre-jour

Ils ruissellent
Chaque aigrette et la touffe
Une île d'eau claire au bout de chaque branche

Chaque aiguille un reflet un fil d'eau vive

Chaque aigrette ruisselle comme une petite source
                                    qui bouillonne
Et s'écoule
On ne sait où.

Ils ruissellent comme j'ai vu ce printemps
Ruisseler les saules eux l'arbre entier
Pareillement argent tout reflet tout onde
Tout fuite d'eau passage
Comme du vent rendu visible
Et paraissant
Liquide
À travers quelque fenêtre magique.

IV

# DEUX PAYSAGES

# I

## PAYSAGE EN DEUX COULEURS
## SUR FOND DE CIEL

La vie la mort sur deux collines
Deux collines quatre versants
Les fleurs sauvages sur deux versants
L'ombre sauvage sur deux versants.

Le soleil debout dans le sud
Met son bonheur sur les deux cimes
L'épand sur faces des deux pentes
Et jusqu'à l'eau de la vallée
(Regarde tout et ne voit rien)

Dans la vallée le ciel de l'eau
Au ciel de l'eau les nénuphars
Les longues tiges vont au profond
Et le soleil les suit du doigt
(Les suit du doigt et ne sent rien)

Sur l'eau bercée de nénuphars
Sur l'eau piquée de nénuphars
Sur l'eau percée de nénuphars
Et tenue de cent mille tiges
Porte le pied des deux collines
Un pied fleuri de fleurs sauvages
Un pied rongé d'ombre sauvage.

Et pour qui vogue en plein milieu
Pour le poisson qui saute au milieu
(Voit une mouche tout au plus)

Tendant les pentes vers le fond
Plonge le front des deux collines
Un de fleurs fraîches dans la lumière
Vingt ans de fleurs sur fond de ciel
Un sans couleur ni de visage
Et sans comprendre et sans soleil
Mais tout mangé d'ombre sauvage
Tout composé d'absence noire
Un trou d'oubli — ciel calme autour.

## II

Un mort demande à boire
Le puits n'a plus tant d'eau qu'on le croirait
Qui portera réponse au mort
La fontaine dit mon onde n'est pas pour lui.

Or voilà toutes ses servantes en branle
Chacune avec un vase à chacune sa source
Pour apaiser la soif du maître
Un mort qui demande à boire.

Celle-ci cueille au fond du jardin nocturne
Le pollen suave qui sourd des fleurs
Dans la chaleur qui s'attarde
                            à l'enveloppement de la nuit
Elle développe cette chair devant lui

Mais le mort a soif encore et demande à boire

Celle-là cueille par l'argent des prés lunaires
Les corolles que ferma la fraîcheur du soir
Elle en fait un bouquet bien gonflé
Une tendre lourdeur fraîche à la bouche
Et s'empresse au maître pour l'offrir

Mais le mort a soif et demande à boire

Alors la troisième et première des trois sœurs
S'empresse elle aussi dans les champs
Pendant que surgit au ciel d'orient
La claire menace de l'aurore
Elle ramasse au filet de son tablier d'or
Les gouttes lumineuses de la rosée matinale
En emplit une coupe et l'offre au maître

Mais il a soif encore et demande à boire.

Alors le matin paraît dans sa gloire
Et répand comme un vent la lumière sur la vallée
Et le mort pulvérisé
Le mort percé de rayons comme une brume
S'évapore et meurt
Et son souvenir même a quitté la terre.

# V

# DE GRIS EN PLUS NOIR

# SPLEEN

Ah ! quel voyage nous allons faire
Mon âme et moi, quel lent voyage

Et quel pays nous allons voir
Quel long pays, pays d'ennui.

Ah ! d'être assez fourbu le soir
Pour revenir sans plus rien voir

Et de mourir pendant la nuit
Mort de moi, mort de notre ennui.

# MAISON FERMÉE

Je songe à la désolation de l'hiver
Aux longues journées de solitude
Dans la maison morte —
Car la maison meurt où rien n'est ouvert —
Dans la maison close, cernée de forêts

Forêts noires pleines
De vent dur

Dans la maison pressée de froid
Dans la désolation de l'hiver qui dure

Seul à conserver un petit feu dans le grand âtre
L'alimentant de branches sèches
Petit à petit
Que cela dure
Pour empêcher la mort totale du feu
Seul avec l'ennui qui ne peut plus sortir
Qu'on enferme avec soi
Et qui se propage dans la chambre

Comme la fumée d'un mauvais âtre
Qui tire mal vers en haut
Quand le vent s'abat sur le toit
Et rabroue la fumée dans la chambre
Jusqu'à ce qu'on étouffe dans la maison fermée

Seul avec l'ennui
Que secoue à peine la vaine épouvante
Qui nous prend tout à coup
Quand le froid casse les clous dans les planches
Et que le vent fait craquer la charpente

Les longues nuits à s'empêcher de geler
Puis au matin vient la lumière
Plus glaciale que la nuit.

Ainsi les longs mois à attendre
La fin de l'âpre hiver.

Je songe à la désolation de l'hiver
Seul
Dans une maison fermée.

# FIÈVRE

Reprend le feu
Sous les cendres

Attention
On ne sait pas
Dans les débris

Attention
On sait trop bien
Dans les débris
Le moindre souffle et le feu part

Au fond du bois
Le feu reprend
Sournoisement
De moins en plus fort

Attention
Le feu reprend
Brûle le vent à son passage

Le feu reprend
Mais où passer
Dans les débris
Tout fracassés
Dans les écopeaux
Bien tassés

La chaleur chauffe
Le vent se brûle
La chaleur monte
Et brouille le ciel

À lueurs lourdes
La chaleur sourde
Chauffe et me tord

La chaleur chauffe
Sans flamme claire
La chaleur monte
Sans oriflamme
Brouillant le ciel
Tremblant les arbres
Brûlant le vent à son passage.

Le paysage
Demande grâce
Les bêtes ont les yeux effarés
Les oiseaux sont égarés
Dans la chaleur brouillant le ciel

Le vent ne peut plus traverser
Vers les grands arbres qui étouffent
Les bras ouverts
Pour un peu d'air

Le paysage demande grâce
Et la chaleur intolérable
Du feu repris
Dans les débris
Est sans une fissure aucune
Pour une flamme
Ou pour le vent.

# VI

# FACTION

# COMMENCEMENT PERPÉTUEL

Un homme d'un certain âge
Plutôt jeune et plutôt vieux
Portant des yeux préoccupés
Et des lunettes sans couleur
Est assis au pied d'un mur
Au pied d'un mur en face d'un mur

Il dit je vais compter de un à cent
À cent ça sera fini
Une bonne fois une fois pour toutes
Je commence un deux et le reste

Mais à soixante-treize il ne sait plus bien

C'est comme quand on croyait compter les
coups de minuit
et qu'on arrive à onze
Il fait noir comment savoir
On essaye de reconstruire avec les espaces le rythme
Mais quand est-ce que ça a commencé

Et l'on attend la prochaine heure


Il dit allons il faut en finir
Recommençons une bonne fois
Une fois pour toutes
De un à cent
Un...

Autrefois j'ai fait des poèmes
Qui contenaient tout le rayon
Du centre à la périphérie et au-delà
Comme s'il n'y avait pas de périphérie
                              mais le centre seul
Et comme si j'étais le soleil : à l'entour
                              l'espace illimité
C'est qu'on prend de l'élan
                              à jaillir tout au long du rayon
C'est qu'on acquiert une prodigieuse vitesse de bolide
Quelle attraction centrale peut alors
                              empêcher qu'on s'échappe
Quel dôme de firmament concave qu'on le perce
Quand on a cet élan pour éclater dans l'Au-delà.

Mais on apprend que la terre n'est pas plate
Mais une sphère et que le centre n'est pas au milieu
Mais au centre
Et l'on apprend la longueur du rayon ce chemin
                              trop parcouru
Et l'on connaît bientôt la surface
Du globe tout mesuré inspecté arpenté vieux sentier
Tout battu

Alors la pauvre tâche
De pousser le périmètre à sa limite
Dans l'espoir à la surface du globe d'une fissure,
Dans l'espoir et d'un éclatement des bornes
Par quoi retrouver libre l'air et la lumière.

Hélas tantôt désespoir
L'élan de l'entier rayon devenu
Ce point mort sur la surface.

Tel un homme
Sur le chemin trop court par la crainte du port
Raccourcit l'enjambée et s'attarde à venir
Il me faut devenir subtil
Afin de, divisant à l'infini l'infime distance
De la corde à l'arc,
Créer par ingéniosité un espace analogue à l'Au-delà
Et trouver dans ce réduit matière
Pour vivre et l'art.

## FACTION

On a décidé de faire la nuit
Pour une petite étoile problématique
A-t-on le droit de faire la nuit
Nuit sur le monde et sur notre cœur
Pour une étincelle
Luira-t-elle
Dans le ciel immense désert

On a décidé de faire la nuit
pour sa part
De lâcher la nuit sur la terre
Quand on sait ce que c'est
Quelle bête c'est
Quand on a connu quel désert
Elle fait à nos yeux sur son passage


On a décidé de lâcher la nuit sur la terre
Quand on sait ce que c'est
Et de prendre sa faction solitaire
Pour une étoile
            encore qui n'est pas sûre
Qui sera peut-être une étoile filante
Ou bien le faux éclair d'une illusion
Dans la caverne que creusent en nous
Nos avides prunelles.

VII

# SANS TITRE

Tu croyais tout tranquille
Tout apaisé
Et tu pensais que cette mort était aisée


Mais non, tu sais bien que j'avais peur
Que je n'osais faire un mouvement
Ni rien entendre
Ni rien dire
De peur de m'éveiller complètement
Et je fermais les yeux obstinément
Comme un qui ne peut s'endormir
Je me bouchais les oreilles avec mon oreiller
Et je tremblais que le sommeil ne s'en aille


Que je sentais déjà se retirer
Comme une porte ouverte en hiver
Laisse aller la chaleur tendre
Et s'introduire dans la chambre
Le froid qui vous secoue de votre assoupissement
Vous fouette
Et vous rend conscient nettement comme l'acier

Et maintenant


Les yeux ouverts les yeux de chair
                                    trop grands ouverts
Envahis regardent passer
Les yeux les bouches les cheveux
Cette lumière trop vibrante
Qui déchire à coups de rayons
La pâleur du ciel de l'automne

Et mon regard part en chasse effrénément
De cette splendeur qui s'en va
De la clarté qui s'échappe
Par les fissures du temps

L'automne presque dépouillé
De l'or mouvant
Des forêts
Et puis ce couchant
Qui glisse au bord de l'horizon
À me faire crier d'angoisse

Toutes ces choses qu'on m'enlève

J'écoute douloureux comme passe une onde
Les chatoiements des voix et du vent
Symphonie déjà perdue   déjà fondue
En les frissons de l'air qui glisse vers hier

Les yeux le cœur et les mains ouvertes
Mains sous mes yeux ces doigts écartés
Qui n'ont jamais rien retenu
Et qui frémissent
Dans l'épouvante d'être vides

Maintenant mon être en éveil
Est comme déroulé sur une grande étendue
Sans plus de refuge au sein de soi
Contre le mortel frisson des vents
Et mon cœur charnel est ouvert comme une plaie
D'où s'échappe aux torrents du désir
Mon sang distribué aux quatre points cardinaux.

Qu'est-ce qu'on peut pour notre ami
au loin là-bas
à longueur de notre bras

Qu'est-ce qu'on peut pour notre ami
Qui souffre une douleur infinie.


Qu'est-ce qu'on peut pour notre cœur
Qui se tourmente et se lamente

Qu'est-ce qu'on peut pour notre cœur
Qui nous quitte en voyage tout seul

Que l'on regarde d'où l'on est
Comme un enfant qui part en mer

De sur la falaise où l'on est
Comme un enfant qu'un vaisseau prend

Comme un bateau que prend la mer
Pour un voyage au bout du vent

Pour un voyage en plein soleil
Mais la mer sonne déjà sourd

Et le ressac s'abat plus lourd
Et le voyage est à l'orage

Et lorsque toute la mer tonne
Et que le vent se lamente aux cordages

Le vaisseau n'est plus qu'une plainte
Et l'enfant n'est plus qu'un tourment

Et de la falaise où l'on est
Notre regard est sur la mer

Et nos bras sont à nos côtés
Comme des rames inutiles


Nos regards souffrent sur la mer
Comme de grandes mains de pitié

Deux pauvres mains qui ne font rien
Qui savent tout et ne peuvent rien


Qu'est-ce qu'on peut pour notre cœur
Enfant en voyage tout seul
Que la mer à nos yeux déchira.

# PETITE FIN DU MONDE

Oh ! Oh !
Les oiseaux
morts

Les oiseaux
les colombes
nos mains

Qu'est-ce qu'elles ont eu
qu'elles ne se reconnaissent plus

On les a vues autrefois
Se rencontrer dans la pleine clarté
se balancer dans le ciel
se côtoyer avec tant de plaisir
                        et se connaître
dans une telle douceur

Qu'est-ce qu'elles ont maintenant
quatre mains sans plus un chant
que voici mortes
désertées

J'ai goûté à la fin du monde
et ton visage a paru périr
devant ce silence de quatre colombes
devant la mort de ces quatre mains
        Tombées
en rang côte à côte


Et l'on se demande
    À ce deuil
quelle mort secrète
quel travail secret de la mort
par quelle voie intime dans notre ombre
où nos regards n'ont pas voulu descendre
        La mort
a mangé la vie aux oiseaux
a chassé le chant et rompu le vol
à quatre colombes
alignées sous nos yeux


de sorte qu'elles sont maintenant
                            sans palpitation
et sans rayonnement de l'âme.

# ACCUEIL

Moi ce n'est que pour vous aimer
Pour vous voir
Et pour aimer vous voir


Moi ça n'est pas pour vous parler
Ça n'est pas pour des échanges
                           conversations
Ceci livré, cela retenu
Pour ces compromissions de nos dons

C'est pour savoir que vous êtes,
Pour aimer que vous soyez


Moi ce n'est que pour vous aimer
Que je vous accueille
Dans la vallée spacieuse de mon recueillement
Où vous marchez seule et sans moi
Libre complètement

Dieu sait que vous serez inattentive
Et de tous côtés au soleil
Et tout entière en votre fleur
Sans une hypocrisie
en votre jeu

Vous serez claire et seule
Comme une fleur sous le ciel
Sans un repli
Sans un recul de votre exquise pudeur

Moi je suis seul à mon tour
autour de la vallée
Je suis la colline attentive
Autour de la vallée
Où la gazelle de votre grâce évoluera
Dans la confiance et la clarté de l'air

Seul à mon tour j'aurai la joie
Devant moi
De vos gestes parfaits
Des attitudes parfaites
De votre solitude

Et Dieu sait que vous repartirez
Comme vous êtes venue
Et je ne vous reconnaîtrai plus

Je ne serai peut-être pas plus seul
Mais la vallée sera déserte
Et qui me parlera de vous ?

Je suis une cage d'oiseau
Une cage d'os
Avec un oiseau

L'oiseau dans ma cage d'os
C'est la mort qui fait son nid

Lorsque rien n'arrive
On entend froisser ses ailes

Et quand on a ri beaucoup
Si l'on cesse tout à coup
On l'entend qui roucoule
Au fond
Comme un grelot

C'est un oiseau tenu captif
La mort dans ma cage d'os

Voudrait-il pas s'envoler
Est-ce vous qui le retiendrez
Est-ce moi
Qu'est-ce que c'est

Il ne pourra s'en aller
Qu'après avoir tout mangé
Mon cœur
La source du sang
Avec la vie dedans

Il aura mon âme au bec.

# ACCOMPAGNEMENT

Je marche à côté d'une joie
D'une joie qui n'est pas à moi
D'une joie à moi que je ne puis pas prendre

Je marche à côté de moi en joie
J'entends mon pas en joie qui marche à côté de moi
Mais je ne puis changer de place sur le trottoir
Je ne puis pas mettre mes pieds dans ces pas-là
                    et dire voilà c'est moi

Je me contente pour le moment de cette compagnie
Mais je machine en secret des échanges
Par toutes sortes d'opérations, des alchimies,
Par des transfusions de sang
Des déménagements d'atomes
                    par des jeux d'équilibre

Afin qu'un jour, transposé,
Je sois porté par la danse de ces pas de joie
Avec le bruit décroissant de mon pas à côté de moi
Avec la perte de mon pas perdu
                    s'étiolant à ma gauche
Sous les pieds d'un étranger
                    qui prend une rue transversale.

# LES SOLITUDES

# ATTENTE

# MA MAISON

Je veux ma maison bien ouverte,
Bonne pour tous les miséreux.

Je l'ouvrirai à tout venant
Comme quelqu'un se souvenant
D'avoir longtemps pâti dehors,
Assailli de toutes les morts
Refusé de toutes les portes
Mordu de froid, rongé d'espoir

Anéanti d'ennui vivace
Exaspéré d'espoir tenace

Toujours en quête de pardon
Toujours en chasse de péché.

# LASSITUDE

Je ne suis plus de ceux qui donnent
Mais de ceux-là qu'il faut guérir.
Et qui viendra dans ma misère ?
Qui aura le courage d'entrer dans cette vie
$\qquad$ à moitié morte ?
Qui me verra sous tant de cendres,
Et soufflera, et ranimera l'étincelle ?
Et m'emportera de moi-même,
Jusqu'au loin, ah ! au loin, loin !
Qui m'entendra, qui suis sans voix
Maintenant dans cette attente ?
Quelle main de femme posera sur mon front
Cette douceur qui nous endort ?

Quels yeux de femme au fond des miens,
au fond de mes yeux obscurcis,
Voudront aller, fiers et profonds,
Pourront passer sans se souiller,
Quels yeux de femme et de bonté
Voudront descendre en ce réduit
Et recueillir, et ranimer
et ressaisir et retenir
Cette étincelle à peine là ?
Quelle voix pourra retentir,
quelle voix de miséricorde
voix claire, avec la transparence du cristal
Et la chaleur de la tendresse
Pour me réveiller à l'amour, me rendre à la bonté,
m'éveiller à la présence de Dieu dans l'univers ?
Quelle voix pourra se glisser, très doucement,
      sans me briser, dans mon silence intérieur ?

# JEUX

# GLISSEMENT

Qu'est-ce que je machine à ce fil pendu
À ce fil une étoile à la lumière,
Vais-je mourir là pendu
Ou mourir un noyé fatigué de l'épave

Glissement dans la mer qui vous enveloppe
Une véritable sœur enveloppante

Et qui transpose la lumière en descendant
La conserve à vos yeux pour les emplir

Souviens-toi de la mer qui t'a bercé,
Vieux mort bercé au glissement de ce parcours
Accompagné de lumière verte,
Qui troublas d'un remous l'ordonnance de ses réseaux
À travers les couches de l'onde innombrable ;
Et maintenant dans les fonds calmes caressé d'algues
Souviens-toi des vagues et leurs bercements
Vieux mort enfoui dans les silences sous-marins.

## [JE ME SENS BALANCER]

Je me sens balancer à la cime d'un arbre
Non ces voix de femmes vous n'entamerez pas
La pureté de mon chant
Et si vous m'êtes hier fraternelles
Cette chaleur étouffée où je m'endormirais
J'ai trouvé ce soir dans ce cimier
Parmi le froissement des feuilles comme une onde
Le refuge parmi l'air clair espéré
La vie dans le souvenir de la fraîcheur.

## BAIGNEUSE

Ah le matin dans mes yeux sur la mer
Une claire baigneuse a ramassé sur elle
toute la lumière du paysage.

## LA FLÛTE

Si près de l'émotion :
Le souffle est là, la flûte l'épouse,
Tout près,
Tout contre le souffle.

## [ALLEZ-VOUS ME QUITTER]

Allez-vous me quitter vous toutes les voix
Vais-je vous perdre aussi chacune et toutes
La symphonie et chaque parole
Mon cœur va-t-il être encore comme si vous n'étiez pas
Ce vide qui ne tient pas compte
Qui ne retient pas ce qui est.

## VOIX DU VENT

La grande voix du vent
Toute une voix confuse au loin
Puis qui grandit en s'approchant,
                            devient
Cette voix-ci, cette voix-là
De cet arbre et de cet autre
Et continue et redevient
Une grande voix confuse au loin

114

# POUVOIRS DE LA PAROLE

# [QUANT À TOI]

Quant à toi dépasse la tour,
Allonge la main au faîte de la tour
Et fais signe à ceux qui n'ont pas de vue au-dedans.

Fais ce silence et parle ces signes
Afin qu'on sache qu'il est des choses dans la tour
Que là-dedans vit quelque chose qu'on ne voit pas
Mais existe, une perle précieuse.

# SILENCE

Toutes paroles me deviennent intérieures
Et ma bouche se ferme comme un coffre
                     qui contient des trésors
Et ne prononce plus ces paroles dans le temps,
                     des paroles en passage,
Mais se ferme et garde comme un trésor
                     ses paroles
Hors l'atteinte du temps salissant, du temps passager.
Ses paroles qui ne sont pas du temps
Mais qui représentent le temps dans l'éternel
Des manières de représentants
Ailleurs de ce qui passe ici,
Des manières de symboles
Des manières d'évidences de l'éternité qui passe ici,

Des choses uniques, incommensurables,
Qui passent ici parmi nous mortels,
Pour jamais plus jamais,
Et ma bouche est fermée comme un coffre
Sur les choses que mon âme garde intimes,
Qu'elle garde
Incommunicables
Et possède ailleurs.

## [PAROLE SUR MA LÈVRE]

Parole sur ma lèvre déjà prends ton vol,
                              tu n'es  plus à moi
Va-t-en extérieure, puisque tu l'es déjà
                                    ennemie
Parmi toutes ces portes fermées.

Impuissant sur toi maintenant dès ta naissance

Je me heurterai à toi maintenant
Comme à toute chose étrangère
Et ne trouverai pas en toi de frisson fraternel
Comme dans une fraternelle chair qui se moule
                                    à ma chair
Et qui épouse aussi ma forme changeante.

Tu es déjà parmi l'inéluctable qui m'encercle
Un des barreaux pour mon étouffement.

# [TE VOILÀ VERBE]

Te voilà verbe en face de mon être
                    un poème en face de moi
Par une projection par delà moi
                    de mon arrière-conscience
Un fils tel qu'on ne l'avait pas attendu
Être méconnaissable, frère ennemi.
Et voilà le poème encore vide qui m'encercle
Dans l'avidité d'une terrible exigence de vie,
M'encercle d'une mortelle tentacule,
Chaque mot une bouche suçante, une ventouse
                    qui s'applique à moi
Pour se gonfler de mon sang.

Je nourrirai de moelle ces balancements.

# TOUS ET CHACUN

Tous et chacun, chacun et tous, interchangeables
Deux mots,
Signes
De l'ineffable identité
Où prend lumière tout le poème

Nature, tu m'as chanté
Le duo à voix équivoques,
Immatériel balancement
Par delà l'opacité du nombre,
Flux et reflux de la même onde, ô l'onde unité,
Vagues renaissantes infiniment
Et pour rôle de dérouler
La lumière jusque sur le rivage

Celui-ci, celui-là, faites-vous plus qu'une seule chair
Pour l'amour de mon âme qui vous maria.

Tous et chacun réversibles,
Et je n'ai pu souvent pour cet échange
Que vous accoupler.

# [JE SORS VOUS DÉCOUVRIR]

Je sors vous découvrir ailleurs les poètes
Chacun ailleurs en dehors de cette petite vie
J'irai vous découvrir parmi la vie de tout le monde
Et la mort de tout le monde
Où tous ont étalé la fuite de leur vie sur le plancher
Pas chez moi, je vous en prie.

C'est là que vous allez vous éveiller
Me décomposer tout l'univers
Devant moi et le reconstruire
À débordement de tous cadres.

## MUSIQUE

Musique pour moi ce soir, lointaine,
Dévoilée au loin tu transportes là-bas mon âme
Chanson des collines rythmes
Que la distance réunit en ces faisceaux
Bouquet du paysage horizontal.

Est-ce que les enfants n'entendent pas cela
                                            tout le jour
Et les anges,
Ces paysages réunis dans une seule lumière


\*　\*　\*

Tu me parles paroles inouïes,
Bouleversements de tout le cœur,
Bercements jusqu'à l'infini des espoirs commencés,
Des amours esquissées à peine enveloppées d'un geste
Et qu'un désir à peine a fleuris dans mes yeux

Et les départs à peine pour de lointaines contrées
Sourires dans l'inconnu

Ou larmes vous si cherchées
Larmes à boire liqueur enivrante du cœur
Qui coulez en dedans
Jusqu'au trop plein de ce cœur qui s'écroule
Adorable mine.

Et ces fureurs.

\*   \*   \*

Que je t'accueille amie
Tu feras divine la torture
Et cet amour mort comme un pays
Épanoui qui se déroule au soleil immobile
D'un jour que les heures n'ont pas mangé
Tu rendras sang à ces souvenirs
Déjà qui s'estompent
Ou qui restent dans la chambre au fond

De ce cœur toujours désaffecté
Où passèrent tant de rosées sans fleurir
Et fleurs sans cœur au sein de la corolle
Et corolles trop tôt fanées déjà
Qui êtes tombées au milieu même de ces bercements
Prodigués par l'air du soir à votre soif
Et de ce désaltèrement de la matinale fraîcheur


\* \* \*

Te voilà mienne en mes mains, ces âmes méritantes
de mon corps,
Mienne éternelle en passage
Par ces mains-ci, par ces quêteuses de tendresse
Et que rien n'a comblées
Nécessitées à des plénitudes absolues
Mains qui ne  sont pas heureuses.

Ces tristes voyez-vous, ces vides
Voulantes assoiffées mains désirantes
À qui je dis ce soir de se taire et que ce ne seront
pas elles
Ces mains de chair pâles
Qui posséderont.

\*    \*    \*

Tu transformes ce désir perdu
Éparpillé poussière à tous les vents de la journée
En celui de saisir et posséder ici ma vie
Ma vie inaccessible et mon âme trop lointaine

De les posséder enfin des fleurs

126

# [UN POÈME A CHANTONNÉ TOUT LE JOUR]

Un poème a chantonné tout le jour
      Et n'est pas venu
On a senti sa présence tout le jour
      Soulevante
Comme une eau qui se gonfle
      Et cherche une issue
Mais cela s'est perdu dans la terre
      Il n'y a plus rien

On a marché tout le jour comme des fous
Dans un pressentiment d'équilibre
Dans une prévoyance de lumière possible
Comme des fous tout à coup attentifs
À un démêlement qui se fait dans leur cerveau
À une sorte de lumière qui veut se faire
Comme s'ils allaient retrouver
            ce qui leur manque
La clef du jour et la clef de la nuit
Mais ils s'affolent de la lenteur
          du jour à naître

Et voilà que la lueur s'en re-va
S'en retourne dans le soleil hors de vue
Et une porte d'ombre se referme
Sur la solitude plus abrupte et plus incompréhensible.

Le silence strident comme une note unique
    qui annihile le monde entier
La clef de lumière qui manque
    au coffre de tous les trésors

# LA PAROLE DE LA CHAIR

# LANTERNES

Vieilles
Pauvres lumières pendues
Immobiles parmi la fumée
Comme des silences perdus
Qu'est-ce que vous faites là, et qu'est-ce
Je vous prie que vous regardez
Lumières pendues mortes.

La tristesse comme vous des sourires tout faits
Et des regards alentour
Comme vous suspendus
Aux seins branlants des danseuses de bazar
Rouges et vertes et bleues
Pauvres que vous êtes
Vieilles,
Mortes.

# [AU MOMENT QU'ON A FAIT LA FLEUR]

Au moment qu'on a fait la fleur
De tout notre amour plongé en elle
Quand la fatigue tout à coup la fane entre nos doigts
Quand la fatigue tout à coup surgit alentour
Et s'avance sur nous comme un cercle qui se referme
L'ennemie qu'on n'attendait pas s'avance
Et commence par effacer le monde hors de nous
Efface le monde en s'approchant,
Vient effacer la fleur entre nos mains
Où notre amour était plongé et fleurissait
Notre amour alors dépossédé rentre en nous
Reflue en nous et nous prend au dépourvu
Nous gonfle d'un flot trop lourd
Nous abat d'un vertige inattendu
Et nous sommes épouvantés
Et comme désarmés devant cette parole
Devant la tristesse de la parole de la chair
Qu'on n'attendait pas et qui nous frappe
                    comme un soufflet au visage.

# [À PART VINGT-CINQ FLEURS]

À part vingt-cinq fleurs qui ont brûlé
    pendant le jour le jardin est beau
À part vingt-cinq fleurs qui sont fanées
    et nous partons faire une promenade parfaite
    comme s'il ne manquait rien
Mais nous sentons bien
Malgré la fraîcheur du soir qui se dévoile
    et la parfaite cadence voulue de nos pas
En nous se glisser le poids des fleurs mortes
Se glisser en nous
Vingt-cinq fleurs tombées dans un coin du jardin
Qui font pencher en nous tout le jardin
Qui font chavirer en nous tout le jardin
Crouler tout le jardin

# [ON DIRAIT QUE SA VOIX]

On dirait que sa voix est fêlée
Déjà ?
Il  rejoint parfois l'éclat du rire
Mais quand il est fatigué
Le son n'emplit pas la forme
C'est comme une voix dans une chaudière
Cela s'arrête au  milieu
Comme s'il ravalait le bout déjà dehors
Cela casse et ne s'étend pas dans l'air
Cela s'arrête
        et c'est comme si ça n'aurait pas dû commencer
C'est comme si rien n'était vrai

Moi qui croyais que tout est vrai à ce moment
Déjà ?
Alors, qu'est-ce qui lui prend de vivre
Et pourquoi ne s'être pas en allé ?

## [APRÈS LES PLUS VIEUX VERTIGES]

Après les plus vieux vertiges
Après les plus longues pentes
Et les plus lents poisons
Ton lit certain comme la tombe
Un jour à midi
S'ouvrait à nos corps faiblis sur les plages
Ainsi que la mer.

Après les plus lentes venues
Les caresses les plus brûlantes
Après ton corps une colonne
Bien claire et parfaitement dure
Mon corps une rivière étendue
       et dressé pur jusqu'au bord de l'eau.

Entre nous le bonheur indicible
D'une distance
Après la clarté du marbre
Les premiers gestes de nos cris
Et soudain le poids du sang
S'écroule en nous comme un naufrage
Le poids du feu s'abat sur notre cœur perdu

Après le dernier soupir
Et le feu a chaviré l'ombre sur la terre
Les amarres de nos bras se détachent
                              pour un voyage mortel
Les liens de nos étreintes tombent d'eux-mêmes
                et s'en vont à la dérive sur notre couche
Qui s'étend maintenant comme un désert
Tous les habitants sont morts
Où nos yeux pâlis ne rencontrent plus rien
Nos yeux crevés aux prunelles de notre désir
Avec notre amour évanoui comme une ombre
                                    intolérable
Et nous sentions notre isolement s'élever
                        comme un mur impossible

Sous le ciel rouge de mes paupières
Les montagnes
Sont des compagnes de mes bras
Et les forêts qui brûlent dans l'ombre
Et les animaux sauvages
Passant aux griffes de tes doigts
Ô mes dents
Et toute la terre mourante étreinte

Puis le sang couvrant la terre
Et les secrets brûlés vifs
Et tous les mystères déchirés
Jusqu'au dernier cri la nuit est rendue

C'est alors qu'elle est venue
Chaque fois
C'est alors qu'elle passait en moi
Chaque fois
Portant mon cœur sur sa tête
Comme une urne restée claire.

# [LEUR CŒUR EST AILLEURS]

Leur cœur est ailleurs
Au ciel peut-être
Elles errent ici en attendant
Mon cœur est parmi d'autres astres parti
Loin d'ici
Et sillonne la nuit d'un cri que je n'entends pas
Quel drame peut-être se joue au loin d'ici ?
    Je n'en veux rien savoir
Je préfère être un jeune mort étendu
Je préfère avoir tout perdu.

Pour chapeau le firmament
Pour monture la terre
Il s'agit maintenant
De savoir quel voyage nous allons faire

Je préfère avoir tout perdu
Je préfère être un jeune mort étendu
Sous un plafond silencieux
À la lumière longue et sans heurt de la veilleuse
Ou peut-être au profond de la mer
Dans une clarté glauque qui s'efface
Durant un long temps sans heures et sans lendemain
De belles jeunes mortes, calmes et soupirantes
Glisseront dans mes yeux leurs formes déjà lointaines
Après avoir baisé ma bouche sans un cri
Avoir accompagné les rêves de mes mains
Aux courbes sereines de leurs épaules
                                et de leurs hanches
Après la compagnie sans cri de leur tendresse
Ayant vu s'approcher leur forme sans espoir
Je verrai s'éloigner leur ombre sans douleur...

# ACCOMPAGNEMENT

# MA SOLITUDE N'A PAS ÉTÉ BONNE

Ma solitude au bord de la nuit
N'a pas été bonne
Ma solitude n'a pas été tendre
À la fin de la journée au bord de la nuit
Comme une âme qu'on a suivie
                                    sans plus attendre
L'ayant reconnue pour sœur

Ma solitude n'a pas été bonne
Comme celle qu'on a suivie
Sans plus attendre choisie
Pour une épouse inébranlable


Pour la maison de notre vie
Et le cercueil de notre mort
Gardien de nos os silencieux
Dont notre âme se détacha.

Ma solitude au bord de la nuit
N'a pas été cette amie
L'accompagnement de cette gardienne


La profondeur claire de ce puits
Le lieu de retrait de notre amour
Où notre cœur se noue et se dénoue
Au centre de notre attente


Elle est venue comme une folie par surprise
Comme une eau qui monte
Et s'infiltre au-dedans
Par les fissures de notre carcasse
Par tous les trous de notre architecture
Mal recouverte de chair
Et que laissent ouverte
Les vers de notre putréfaction.

Elle est venue une infidélité
Une fille de mauvaise vie
Qu'on a suivie
Pour s'en aller
Elle est venue pour nous ravir
Dans le cercle de notre lâcheté
Et nous laisser désemparés
Elle est venue pour nous séparer.

Alors l'âme en peine là-bas
C'est nous qu'on ne rejoint pas
C'est moi que j'ai déserté
C'est mon âme qui fait cette promenade cruelle
Toute nue au froid désert
Durant que je me livre à cet arrêt tout seul
À l'immobilité de ce refus
Penché mais sans prendre part au terrible jeu
À l'exigence de toutes ces peines
Secondes irremplaçables.

## [MES PAUPIÈRES EN SE LEVANT]

Mes paupières en se levant ont laissé vides mes yeux
Laissé mes yeux ouverts dans une grande solitude
Et les serviteurs de mes yeux ne sont pas allés
Mes regards ne sont pas allés comme des glaneuses
Par le monde alentour
Faire des gerbes lourdes de choses
Ils ne rapportent rien pour peupler mes yeux déserts
Et c'est comme exactement s'ils étaient
                              demeurés en dedans
Et que la porte fût restée fermée.

## [UNE SORTE DE REPOS]

Une sorte de repos
à regarder un ciel passant

Tout ce qui pèse fut relégué
Le désespoir pas de bruit dort sous la pluie

La Poésie est une Déesse
dont nous avons entendu parler

Son corps trop pur pour notre cœur
Dort tout dressé
Par bonheur c'est de l'autre côté

Nous n'entreprendrons pas maintenant
De lui voler des bijoux
qu'elle n'a pas étant nue.

# AUTRE ICARE

Cela tient du vent, cela tient au vent.
Cela n'est qu'un accroc que l'on fait au passage,
Un nœud que l'on fait au fil fugace du temps

Et nous sentons bien qu'à travers
                    ce mince filet qu'on a fait,
Ces faibles appuis qu'on a pris
                    sur le cours de notre en-allée
Et ces liens ingénieux tendus
                    à travers des espaces trop vides,


Il n'y a qu'un cri au fond qui persiste,
Il n'y a qu'un cri
                    d'un lien persistant


Où les tiges des fruits sont déjà rompues,
Tes attaches des fleurs et pétales de fleurs
                    sont déjà rongés
Où ces ailes de plume de notre cœur de cire
                    sont déjà détachées
Et plumes au vent, plumes flottant au vent
                    par-dessus cette noyade
Sans port d'attache.

## [LE BLEU DU CIEL]

Le bleu du ciel et la lumière coulant en nous
    nous avaient servi d'espérance durant ce jour
Mais nous avons eu toutefois toujours la crainte secrète
    qui ne nous quitte plus de ce retour au port
    de notre désolation
Où nous sommes arrivés maintenant malgré la beauté
    de la nuit qu'il fait par-dessus nous
Retirés de la haute mer, de notre repos sur la mer
    de tous nos voyages sur la mer vaste et claire
Par on ne sait quel courant contraire derrière nous qui
    nous reprend avec une obstination désespérante
Et nous reporte à l'écrasement de ce maelström
Lequel nous relâche à la surface au moment où nous
    allions enfin périr.

## [L'AVENIR NOUS MET EN RETARD]

L'avenir nous met en retard
Demain c'est comme hier on n'y peut pas toucher
On a la vie devant soi comme un boulet lourd
aux talons
Le vent dans le dos nous écrase le front contre l'air


        On se perd pas à pas
        On perd ses pas un à un
        On se perd dans ses pas
        Ce qui s'appelle des pas perdus

Voici la terre sous nos pieds
Plate comme une grande table
Seulement on n'en voit pas le bout
(C'est à cause de nos yeux qui sont mauvais)

On n'en voit pas non plus le dessous
D'habitude
Et c'est dommage
Car il s'y décide des choses capitales
À propos de nos pieds et de nos pas
C'est là que se livrent des conciliabules géométriques
Qui nous ont pour centre et pour lieu
C'est là que la succession des points devient une ligne
Une ficelle attachée à nous
Et que le jeu se fait terriblement pur
D'une implacable constance dans sa marche
                      au bout qui est le cercle
      Cette prison.

Vos pieds marchent sur une surface dure
Sur une surface qui vous porte comme un empereur
Mais vos pas à travers tombent dans le vide
                                        pas perdus


Font un cercle
                et c'est un point
On les place ici et là, ailleurs,
                        à travers vingt rues qui se croisent
Et l'on entend toc toc sur le trottoir
                                toujours à la même place
Juste au-dessous de vos pieds


Les pas perdus tombent sous soi dans le vide
                et l'on croit qu'on ne va plus les rencontrer
On croit que le pas perdu c'est donné une fois
                        pour toutes perdu une fois pour toutes
Mais c'est une bien drôle de semence
Et qui a sa loi
Ils se placent en cercle et vous regardent avec ironie
Prisonnier des pas perdus.

...DANS MA MAIN
LE BOUT CASSÉ
DE TOUS LES CHEMINS...

# MONDE IRRÉMÉDIABLE DÉSERT

Dans ma main
Le bout cassé de tous les chemins

Quand est-ce qu'on a laissé tomber les amarres
Comment est-ce qu'on a perdu tous les chemins

La distance infranchissable
Ponts rompus
Chemins perdus

Dans le bas du ciel, cent visages
Impossibles à voir
La lumière interrompue d'ici là
Un grand couteau d'ombre
Passe au milieu de mes regards

De ce lieu délié
Quel appel de bras tendus
Se perd dans l'air infranchissable

La mémoire qu'on interroge
A de lourds rideaux aux fenêtres
Pourquoi lui demander rien ?
L'ombre des absents est sans voix
Et se confond maintenant avec les murs
De la chambre vide.

Où sont les ponts les chemins les portes
Les paroles ne portent pas
La voix ne porte pas

Vais-je m'élancer sur ce fil incertain
Sur un fil imaginaire tendu sur l'ombre
Trouver peut-être les visages tournés
Et me heurter d'un grand coup sourd
Contre l'absence

Les ponts rompus
Chemins coupés
Le commencement de toutes présences
Le premier pas de toute compagnie
Gît cassé dans ma main.

# [UN BON COUP DE GUILLOTINE]

Un bon coup de guillotine
Pour accentuer les distances

Je place ma tête sur la cheminée
Et le reste vaque à ses affaires

Mes pieds s'en vont à leurs voyages
Mes mains à leurs pauvres ouvrages

Sur la console de la cheminée
Ma tête a l'air d'être en vacances

Un sourire est sur ma bouche
Tel que si je venais de naître

Mon regard passe, calme et léger
Ainsi qu'une âme délivrée

On dirait que j'ai perdu la mémoire
Et cela fait une douce tête de fou.

# [IDENTITÉ]

## I

Identité
Toujours rompue

Le pas étrange de notre cœur
Nous rejoint à travers la brume
On l'entend
   quel drôle de cadran

Le nœud s'est mis à sentir
Les tours de corde dont il est fait

## II

Une chambre avec meubles
Le cadran sur la console
Tout cela fait partie de la chambre
On regarde par la fenêtre
On vient s'asseoir à son bureau
On travaille
On se repose
Tout est tranquille

Tout à coup : tic tac
L'horloge vient nous rejoindre par les oreilles
Vient nous tracasser par le chemin des oreilles
Il vient à petits coups
Tout casser la chambre en morceaux

On lève les yeux ; l'ombre a bougé la cheminée
L'ombre pousse la cheminée
Les meubles sont tout changés

Et quand tout s'est mis à vivre tout seul
Chaque morceau étranger
S'est mis à contredire un autre

Où est-ce qu'on reste
Qu'on demeure
Tout est en trous et en morceaux.

# [FIGURES À NOS YEUX]

Figures à nos yeux
Figures surgies
À peine
Et qui ne quittez pas encore l'ombre
Quel désir vous attire
À percer l'ombre
Et quelle ombre vous retire
Évanescentes à nos yeux

Figures balancées
Aux confins du visible et qui surgissez
En un jeu de vous voiler et dévoiler
Vous venez mourir ici sur le bord
                          d'un sourire imaginaire
Et nous envelopper dans la chaleur de votre gravité
Balancement entre l'apparence et l'adieu
Vous nous quittez et vos yeux n'auront pas regardé
Mais nous serons tombés dedans comme dans la nuit.

## [LE DIABLE, POUR MA DAMNATION]

Le diable, pour ma damnation,
M'a laissé entrevoir la scène
Par l'ouverture des rideaux.
Il a, en se jouant de moi,
Soulevé le bord du voile
Qui cache la vie.
Oh ! pas longtemps !
Juste à peine ce qu'il faut
Pour me laisser appréhender
Ce qui est de l'autre côté
Et aiguiser, et mettre en branle
La curiosité,
Cette soif qui noya Ève, notre mère,
Dans le péché.
Juste à peine pour entrevoir
La fascination de la nuit,
La splendeur du jour éternel
L'étonnante réalité.

Juste à peine pour que j'entende
Le chœur des oiseaux et des fées
L'harmonie universelle
De ces couleurs et de ces chants.
. . . . . . . . . . . . . . . . . . . . . . . . .

Et je reste là dans la salle,
Les yeux ouverts, les oreilles attentives,
Affamé, rongé d'attente,
À mesure que le désespoir grimpe en moi,
Séché de soif et de cette attention vers la commissure
      des rideaux, me disant : « Est-ce le moment ?
      voilà ! Les rideaux vont s'écarter. Je vais voir,
      je vais entendre !
Je vais toucher des yeux la vie !
Un frisson court dans les rideaux ;
Ils vont s'ouvrir ! Sois attentif ! cela ne durera peut-être
      qu'une fraction de moment, qu'un sourire, un
      sanglot, qu'un bond !
Voilà le temps ! le rideau bouge ! »
Mais rien ! peut-être un courant d'air,
Un frisson d'air à la surface !
Et puis, après, quand c'est trop long, vraiment, quand
      ça n'en finit plus d'être fermé, quand on est
      épuisé jusqu'au bout d'attendre,

Je dis à mon cœur : « Non, viens-t-en
Tu sais bien que tout cela est une mystification,
Un piège, une plaisanterie.
Tu vois bien, regarde-nous, que nous mourons ici
Viens-t-en, mon cœur, allons-nous-en ! »
Mais au moment où mon cœur cède,
Qu'il n'a plus la force de résister,
Qu'il est malade, comme exsangue,
Au moment où le prend le goût de guérir, de sortir, de
            respirer,
De s'adoucir, se résigner,
Voilà que les maudits rideaux
S'écartent,
Laissent apercevoir
Encore le jour, encore la nuit,
Et laissent s'échapper le chant, une maladie commencée,
            une aurore qui s'avance à peine
Une lumière qui s'en vient
Un beau contour qui se précise une danse esquissée...
.............................................

Quelle extase ! Nous sommes ivres,
Mon cœur et moi, nous sommes fous !
        Et nous demeurons dans la salle.
Quoique le voile soit tombé.
Et nous regardons avidement
La place maintenant bouchée,
Le rideau maintenant fermé.
« Va-t-il s'ouvrir bientôt ? Demain ? »
Et le diable continue ainsi toujours à cent reprises son
        manège.
Je l'entends rire dans les coulisses,
Et s'amuser de notre mort à petit feu, à mesure qu'il
        voit surgir la folie au fond de nos yeux agrandis
Il sait bien que nous sommes dupes,
Et c'est son plaisir.
Nous le savons aussi d'ailleurs, mais nous ne voulons
        pas y croire tout à fait parce qu'il faudrait
        renoncer
Et s'en aller
Alors que le voile sera peut-être levé dans un instant,
        et pour toujours !

# VOYAGE
# AU BOUT DU MONDE

## [DES NAVIRES BERCÉS]

Des navires bercés dans un port
    Doux bercement avec des souvenirs de voyages

Puis on trouve seuls les souvenirs errants
    qui reviennent et ne trouvent pas de port
    souvenirs sans port d'attache
    Trouvent le port déserté
        Un grand lieu vide sans vaisseaux.

## [JE REGARDE EN CE MOMENT]

Je regarde en ce moment sur la mer et je vois
    un tournoiement d'oiseaux
Alentour de je ne sais quel souvenir des mâts
    d'un bateau péri
Qui furent sur la mer jadis leur port d'attache

Et c'est à ce moment aussi que j'ai vu fuir
Un bateau fantôme à deux mâts déserts
Que les oiseaux n'ont pas vu, n'ont pas reconnu
Alors il reste dans le ciel sur la mer
Un tournoiement d'oiseaux sans port d'attache.

# [MON DESSEIN]

Mon dessein n'est pas un très bel édifice
    bien vaste, solide et parfait
Mais plutôt de sortir en plein air

Il y a les plantes, l'air et les oiseaux
Il y a la lumière et ses roseaux
Il y a l'eau
Il y a dans l'eau, dans l'air et sur la terre
Toutes sortes de choses et d'animaux
Il ne s'agit pas de les nommer, il y en a trop
Mais chacun sait qu'il y en a tant et plus
Et que chacun est différent, unique
On n'a pas vu deux fois le même rayon
Tomber de la même façon dans la même eau
De la fontaine

Chacun est unique et seul

Moi j'en prends un ici
J'en prends un là
Et je les mets ensemble pour qu'ils se tiennent
                      compagnie

Ça n'est pas la fin de la nuit,
Ça n'est pas la fin du monde !
C'est moi.

# [IL NOUS EST ARRIVÉ DES AVENTURES]

Il nous est arrivé des aventures du bout du monde
Quand on vient de loin ce n'est pas pour rester là
(Quand on vient de loin nécessairement
                              c'est pour s'en aller)
Nos regards sont fatigués d'être fauchés
                            par les mêmes arbres
Par la scie contre le ciel des mêmes arbres
Et nos bras de faucher toujours à la même place.
Nos pieds n'étaient plus là pour nous attacher
                                dans la terre
Ils nous attiraient tout le corps pour des journées
                                à perte de vue.

Il nous est arrivé des départs impérieux
Depuis le premier jusqu'à n'en plus finir
À perte de vue dans l'horizon renouvelé
Qui n'est jamais que cet appel au loin
                           qui module le paysage
Ou cette barrière escarpée
Qui fouette la rage de notre curiosité
Et ramasse en nous de son poids
Le ressort de notre bond

On n'a pas eu trop de neiges à manger
On n'a pas eu à boire trop de vents et de rafales
On n'a pas eu trop de glace à porter
Trop de morts à porter dans des mains de glaçons

Il en est qui n'ont pas pu partir
Qui n'ont pas eu le courage de vouloir s'en aller
Qui n'ont pas eu la joie aux yeux d'embrasser l'espace
Qui n'ont pas eu l'éclair du sang dans les bras
                                        de s'étendre
Ils se sont endormis sur des bancs
Leur âme leur fut ravie durant leur sommeil
Ils se sont réveillés en sursaut comme des domestiques
Que le maître surprend à ne pas travailler

On n'a pas eu envie de s'arrêter
On n'a pas eu trop de fatigues à dompter
Pour l'indépendance de nos gestes dans l'espace
Pour la liberté de nos yeux sur toute la place
Pour le libre bond de nos cœurs par-dessus les monts

Il en est qui n'ont pas voulu partir
Qui ont voulu ne pas partir, mais demeurer.

On les regarde on ne sait pas
Nous ne sommes pas de la même race.

Ils se sont réveillés des animaux parqués là
Qui dépensent leurs ardeurs sans âme dans les bordels
Et s'en revont dormir sans s'en douter
Ils se sont réveillés des comptables, des tracassiers,
Des mangeurs de voisins, des rangeurs de péchés,
Des collecteurs de revenus, des assassins à petits coups,
Rongeurs d'âmes, des satisfaits, des prudents,
Baise-culs, lèche-bottes, courbettes
Ils abdiquent à longue haleine sans s'en douter
N'ayant rien à abdiquer.

C'est un pays de petites bêtes sur quoi l'on pile
On ne les voit pas parce qu'ils sont morts
Mais on voudrait leur botter le derrière
Et les voir entrer sous terre pour la beauté
                                de l'espace inhabité.

Les autres, on est farouches, on est tout seuls
On n'a que l'idée dans la tête d'embrasser
On n'a que le goût de partir comme une faim
On n'est déjà plus où l'on est
On n'a rien à faire ici
On n'a rien à dire et l'on n'entend pas de voix
                                d'un compagnon.

174

# [BOUT DU MONDE !]

Bout du monde ! Bout du monde ! Ce n'est pas loin !
On croyait au fond de soi faire un voyage
                                   à n'en plus finir
Mais on découvre la platitude de la terre
     La terre notre image
Et c'est maintenant le bout du monde cela
     Il faut s'arrêter
     On en est là


Il faut maintenant savoir entreprendre le pèlerinage
Et s'en retourner à rebrousse pas de notre venue
Avec le dépit à nos trousses de cette déconvenue
Et s'en retourner à contre-courant de notre mirage
Sans tourner la tête aux nouvelles voix de notre richesse
On a déjà trop attendu au bord d'un arrêt tout seul
On a déjà perdu trop de cœur à s'arrêter.


Nous groupons alentour de l'espace
                         de ce que nous n'avons pas
La réalité définitivement acceptable
                         de ce que nous pourrions avoir
Des colonies et des possessions
                              et toute une ceinture d'îles
Faites à l'image et amorcées par ce point
     au milieu central de ce que nous n'avons pas
     qui est le désir.


175

# [À PROPOS DE CET ENFANT]

À propos de cet enfant qui n'a pas voulu mourir
Et dont on a voulu choyer au moins l'image
        comme un portrait dans un cadre dans un salon
Il se peut que nous nous soyons trompés
                        exagérément sur son compte.
Il n'était peut-être pas fait pour le haut sacerdoce
                                qu'on a cru
Il n'était peut-être qu'un enfant comme les autres
Et haut seulement pour notre bassesse
Et lumineux seulement pour notre grande ombre
                                sans rien du tout
(Enterrons-le, le cadre avec et tout)

Il nous a menés ici comme un écureuil qui nous perd
                        à sa suite dans la forêt
Et notre attention et notre ruse s'est toute gâchée
        à chercher obstinément dans les broussailles
Nos yeux se sont tout énervés à chercher son saut
        ici et là dans les broussailles à sa poursuite.

176

Toute notre âme s'est perdue à l'affût
                de son passage (qui nous a) perdus
Nous croyions découvrir le monde nouveau
                    à la lumière de ses yeux
Nous avons cru qu'il allait nous ramener
                        au paradis perdu.

Mais maintenant enterrons-le, au moins le cadre
                        avec l'image
Et toutes les tentatives de routes
            que nous avons battues à sa poursuite
Et tous les pièges attrayants que nous avons tendus
                    pour le prendre.

# [C'EN FUT UNE DE PASSAGE]

C'en fut une de passage dans notre monde
Une fin de semaine une heure
                              quelle importance a le temps
Pour visiter notre monde
                              notre ville notre espèce de monde


À vrai dire c'est une reine qui a le droit de vivre
Cette visite nous a fait plaisir
                              malgré notre crainte des vivants
Quand elle est venue cela a bien fait
                              un peu mal à nos yeux
Mais cela a fait à nos yeux du bien


Elle nous a dit faites-moi visiter
Elle ne nous a pas connus tels que nous étions
Étant tout à son désir et sa curiosité


Elle nous a dit faites-moi visiter le monde
Nous l'avons prise par la main alors
Un peu mal à l'aise parce qu'elle n'était pas
                              une compagnie familière
Et que son pas n'avait pas la même allure que le nôtre
Nous sommes un peu trop habitués à l'allure
                              de notre propre pas
Les reines nous déconcertent quelque peu

# [IL VIENT UNE BELLE ENFANT]

Il vient une belle enfant avec des yeux neufs
                                        pour visiter
— Nous allons vous faire visiter nos cercueils
Ce n'est pas un bien beau pays mais nous allons
                                vous le faire voir.
Nous sommes un peu surpris de votre venue,
                        nous n'attendions plus rien.
— Non, je ne veux pas plutôt les prairies à la lumière
— Nous mourrions à la lumière, vous n'y pensez pas.
   C'est hors de question.
— Alors j'aime mieux m'en aller...

# INVENTAIRE

Cet enfant qu'on a dit
   n'a pas eu le sort qu'il fallait

Il est venu au monde dans les conditions décevantes

Au milieu d'horribles animaux dont les pires
       ne sont pas les bêtes féroces
Qui l'eussent (peut-être) mangé en bas âge
       pour son plus grand bien
Mais il y a tous les rongeurs qui ne changent
       rien à l'affaire.

# LA NUIT

# [ET MAINTENANT]

Et maintenant quand est-ce que nous avons mangé
                                    notre joie
Toutes les autres questions en ce moment ont fermé
                            la bouche de leur soif
Et l'on n'entend plus que celle-là qui reste
                            persistante et douloureuse
Comme un souvenir lointain qui nous déchire jusqu'ici
Cette promesse et cette espèce d'entrevue
                                    avec la promise
Et maintenant que nous nous sommes déchirés
                                un sillon jusqu'ici,
Jusqu'où nous en sommes
Cette question nous rejoint
Et nous emplit de sa voix de désespoir
Quand est-ce que nous avons mangé notre joie
Où est-ce que nous avons mangé notre joie
Qui est-ce qui a mangé notre joie
Car il y a certainement un traître parmi nous
Qui s'est assis à notre table quand nous nous sommes
                            assis tant que nous sommes
Tant que nous étions

Tous ceux qui sont morts de cette espèce de caravane
                                            qui a passé
Tous les enfants et les bons animaux de cette journée
                                            qui sont morts
Et tous ceux maintenant lourds aux pieds
                              qui continuent à s'acheminer
Dans cette espèce de rêve aux mâchoires fermées
Et dans cette espèce de désert de la dernière aridité
Et dans cette lumière retirée derrière un mur
       infranchissable de vide et qui ne sert plus à rien
Parmi tous ceux qui nous sommes assis
              tant que nous étions et tant que nous sommes
(Car nous transportons le poids des morts
                              plus que celui des vivants)
Qui est-ce qui a mangé notre joie parmi nous
Dont ne reste plus que cette espèce de souvenir
                          qui nous a déchirés jusqu'ici
Qui est-ce parmi nous que nous avons chacun abrité
Accueilli parmi nous
Retenu parmi nous par une espèce de secrète entente
Ce traître frère que nous avons reconnu pour frère
           et emmené avec nous dans notre voyage d'un
           commun accord
Et protégé d'une complicité commune
Et suivi jusqu'à cette extrémité que notre joie
                              a été toute mangée
Sous nos yeux sans regarder
Et qu'il ne reste plus que cette espèce de souvenir
                          qui nous a déchirés jusqu'ici
Et cet illusoire désespoir qui achève de crever
                              dans son lit.

# [ON N'AVAIT PAS FINI]

## — I —

On n'avait pas fini de ne plus se comprendre
On avançait toujours à se perdre de vue
On n'avait pas fini de se trouver les plaies
On n'avait pas fini de ne plus se rejoindre
Le désir retombait sur nous comme du feu


Notre ombre invisible est continue
Et ne nous quitte pas pour tomber derrière nous
                                    sur le chemin
On la porte pendue aux épaules
Elle est obstinée à notre poursuite
Et dévore à mesure que nous avançons
La lumière de notre présence


On n'arrive guère à s'en débarrasser
En se retournant tout à coup on la retrouve
                                    à la même place
On n'arrive pas à la secouer de soi
Et quand elle est presque sous nous aux alentours
                                    de midi
Elle fait encore sous nos pieds
Un trou menaçant dans la lumière.

On s'est tous réunis dans le milieu du temps
On a tout réuni dans le milieu de l'espace
Bien moins loin du paradis que d'habitude
On s'est tous réunis pour une grande fête
Et l'on a demandé à Dieu le Père et Jésus-Christ
Et au Saint-Esprit qui est la Troisième Personne
On leur a demandé d'ouvrir un peu le Paradis
De se pencher et de regarder
Voir s'ils reconnaissaient un peu le monde
Si cela ressemblait un peu à l'idée qu'ils en ont
Si ce n'était pas bien admirable ce qu'ils en ont fait

Ceux qui sont venus avec une âme du bon Dieu
Avec des yeux du bon Dieu
Pour faire un bouquet pur avec le monde

## — III —

La terre était dans l'ombre et mangeait ses péchés ;
On était à s'aimer comme des bêtes féroces
La chair hurlait partout comme une damnée
Et des coups contre nous et des coups entre nous
Résonnaient dans la surdité du temps qui s'épaissit

Voilà qu'ils sont venus avec leur âme du bon Dieu
Voilà qu'ils sont venus avec le matin de leurs yeux
Leurs yeux pour nous se sont ouverts comme une aurore
Voilà que leur amour a toute lavé notre chair
Ils ont fait de toute la terre un jardin pré
Un pré de fleurs pour la visite de la lumière
De fleurs pour la présence de tout le ciel dessus

Ils ont bu toute la terre comme une onde
Ils ont mangé toute la terre avec leurs yeux
Ils ont retrouvé toutes les voix que les gens ont perdues
Ils ont recueilli tous les mots qu'on avait foutus

Le temps marche à nos talons
Dans l'ombre qu'on fait sur le chemin
Tous ceux-là, le temps et l'ombre sont venus
Ils ont égrené notre vie à nos talons
Et voilà que les hommes s'en vont en s'effritant
Les pas de leur passage sont perdus sans retour
Les plus belles présences ont été mangées
Les plus purs éclats furent effacés
Et l'on croit entendre les pas du soir derrière soi
Qui s'avance pour nous ravir toutes nos compagnies
S'en vient tout éteindre le monde à nos yeux
Qui vient effacer en cercle tout le monde
Vient dépeupler la terre à nos regards
Nous refouler au haut d'un rocher comme le déluge
Et nous prendre au piège d'une solitude définitive
Nous déposséder de tout l'univers

Mais voilà que sont venus ceux qu'on attendait
Voilà qu'ils sont venus avec leur âme du bon Dieu
Leurs yeux du bon Dieu
Qu'ils sont venus avec les filets de leurs mains
Le piège merveilleux de leurs yeux pour filets
Ils sont venus par-derrière le temps et l'ombre
Aux trousses de l'ombre et du temps
Ils ont tout ramassé ce qu'on avait laissé tomber.

On n'a pas lieu de se consoler quand la nuit vient
De se tranquilliser d'être soulagé
De regarder avec un sourire autour de soi
Et parce qu'on ne voit plus l'ombre de se croire libéré

C'est seulement qu'on ne la voit plus
Sa présence n'est plus éclairée
Parce qu'elle a donné la main à toutes les ombres
Nous ne sommes plus qu'une petite lumière enfermée
Qu'une petite présence intérieure dans l'absence
                                    universelle
Et l'appel de nos yeux ne trouve point d'écho
Dans le silence de l'ombre déserte


On passe en voyage au soleil
On est un passage vêtu de lumière
Avec notre ombre à nos trousses comme un chacal
Qui mange à mesure notre mort

Avec notre ombre à nos trousses comme une absence
Qui boit à mesure notre lumière

Avec notre absence à nos trousses comme une fosse
Un trou dans la lumière sur la route
Qui avale notre passage comme l'oubli.

# POIDS ET MESURES

Il ne s'agit pas de tirer les choses par les cheveux
D'attacher par les cheveux une femme
                                à la queue d'un cheval
D'empiler des morts à la queue leu leu
Au fils de l'épée, au fils du temps,

On peut s'amuser à faire des nœuds
                            avec des lignes parallèles
C'est un divertissement un peu métaphysique
L'absurde n'étant pas réduit à loger au nez de Cyrano
Mais en regardant cela la tête à l'envers
On aperçoit des évocations d'autres mondes
On aperçoit des cassures dans notre monde
                                    qui font des trous

On peut être fâché de voir des trous dans notre monde
On peut être scandalisé par un bas percé un gilet
                    un gant percé qui laisse voir un doigt
On peut exiger que tout soit rapiécé

Mais un trou dans notre monde c'est déjà quelque chose
Pourvu qu'on s'accroche dedans les pieds
                                et qu'on y tombe
La tête et qu'on y tombe la tête la première
Cela permet de voguer et même de revenir
Cela peut libérer de mesurer le monde à pied,
                                pied à pied.

# LA MORT GRANDISSANTE

I

## [ET JUSQU'AU SOMMEIL]

Et jusqu'au sommeil perdu dont erre l'ombre
                    autour de nous sans nous prendre
Estompe tout, ne laissant que ce point en moi
                              lourd lourd lourd
Qui attend le réveil au matin pour se mettre
                              tout à fait debout
Au milieu de moi détruit, désarçonné, désemparé,
                                        agonisant.

# [AH ! CE N'EST PAS LA PEINE]

Ah ! ce n'est pas la peine qu'on en vive
Quand on en meurt si bien
Pas la peine de vivre
Et voir cela mourir, mourir
Le soleil et les étoiles

Ah ! ce n'est pas la peine de vivre
Et de survivre aux fleurs
Et de survivre au feu, des cendres
Mais il vaudrait si mieux qu'on meure
Avec la fleur dans le cœur
Avec cette éclatante
Fleur de feu dans le cœur.

# [C'EST EUX QUI M'ONT TUÉ]

C'est eux qui m'ont tué
Sont tombés sur mon dos avec leurs armes, m'ont tué
Sont tombés sur mon cœur avec leur haine, m'ont tué
Sont tombés sur mes nerfs avec leurs cris, m'ont tué

C'est eux en avalanche m'ont écrasé
Cassé en éclats comme du bois

Rompu mes nerfs comme un câble de fils de fer
Qui se rompt net et tous les fils en bouquet fou
Jaillissent et se recourbent, pointes à vif

Ont émietté ma défense comme une croûte sèche
Ont égrené mon cœur comme de la mie
Ont tout éparpillé cela dans la nuit

Ils ont tout piétiné sans en avoir l'air,
Sans le savoir, le vouloir, sans le pouvoir,
Sans y penser, sans y prendre garde
Par leur seul terrible mystère étranger
Parce qu'ils ne sont pas à moi venus m'embrasser

Ah ! dans quel désert faut-il qu'on s'en aille
Pour mourir de soi-même tranquillement.

# DILEMME

Mais les vivants n'ont pas pitié des morts
Et que feraient les morts de la pitié des vivants
Mais le cœur des vivants est dur comme un bon arbre
                        et ils s'en vont forts de leur vie
Pourtant le cœur des morts est déjà tout en sang
                et occupé d'angoisse depuis longtemps
Et tout en proie aux coups, trop accessible aux coups
                        à travers leur carcasse ouverte
Mais les vivants passant n'ont pas pitié des morts
        qui restent avec leur cœur au vent sans abri.

## REGARDS DE PITIÉ

— Nous avons mis à mort la pitié
Nous ne pouvons pas qu'elle soit
Nous sommes les orgueilleux
Nous nions les regards de pitié.

— Nous sommes les regards de pitié
Nous ne pouvons pas ne pas être sur terre
les regards de pitié.

UN AUTRE ENCORE

ou

LE MOURANT QUI ME JOINT ET
M'ABREUVE DE CENDRE


[IL Y A CERTAINEMENT]


Il y a certainement quelqu'un qui se meurt
J'avais décidé de ne pas y prendre garde
          et de laisser tomber le cadavre en chemin
Mais c'est l'avance maintenant qui manque
          et c'est moi
Le mourant qui s'ajuste à moi

**II**

# [NOUS AVONS ATTENDU DE LA DOULEUR]

Nous avons attendu de la douleur
Qu'elle modèle notre figure
                  à la dureté magnifique de nos os
Au silence irréductible et certain de nos os
À ce dernier retranchement inexpugnable de notre être
Qu'elle tende à nos os clairement la peau de nos figures
La chair lâche et troublée de nos figures
         qui crèvent à tout moment et se décomposent
Cette peau qui flotte au vent de notre figure,
                         triste oripeau.

# [FAIBLE ORIPEAU]

Faible oripeau à tous les vents qui nous trahit
Qu'elle l'assujettisse décidément
            à la forme certaine de nos os clairs.

Mais la douleur fut-elle devancée
Est-ce que la mort serait venue secrètement
            faire son nid dans nos os mêmes
Aurait pénétré, corrompu nos os mêmes
Aurait élu domicile dans la substance même de nos os
Parmi nos os
De sorte qu'arrivée là après toute la chair traversée
Après toutes les épaisseurs traversées
            qu'on lui avait jetées en pâture
Après toutes ces morsures dans notre chair molle
            et comme engourdie
La douleur ne trouve pas non plus
            de substance ferme à quoi s'attaquer
De substance ferme à quoi s'agripper
            d'une poigne ferme
Densité à percer d'un solide aiguillon
Un silence solide à chauffer à blanc
Une sensibilité essentielle et silencieuse
            à torturer sans la détruire

Mais elle ne rejoint encore qu'une surface qui s'effrite
Un édifice poreux qui se dissout
Un fantôme qui s'écroule et ne laisse plus que poussière.

# [NOUS DES OMBRES]

Nous des ombres de cadavres elles des réalités
de cadavres, des os de cadavres,
Et quelle pitié nous prend (et quelle admiration)
ombres consciences de cadavres
Et terreur fraternelle nous prend
Devant cette réponse faite
Cette image offerte
Os de cadavres.

## [QUAND ON EST RÉDUIT À SES OS]

Quand on est réduit à ses os
Assis sur ses os
couché en ses os
avec la nuit devant soi.

# [NOUS ALLONS DÉTACHER NOS MEMBRES]

Nous allons détacher nos membres
    et les mettre en rang pour en faire un inventaire
Afin de voir ce qui manque
De trouver le joint qui ne va pas
Car il est impossible de recevoir assis tranquillement
        la mort grandissante.

# [ET CEPENDANT DRESSÉ EN NOUS]

Et cependant dressé en nous
Un homme qu'on ne peut pas abattre
Debout en nous et tournant le dos à la direction
                                        de nos regards
Debout en os et les yeux fixés sur le néant
Dans une effroyable confrontation obstinée et un défi.

# [QUITTE LE MONTICULE]

Quitte le monticule impossible au milieu
Et le manteau gardant le silence des os
Et la grappe du cœur enfin désespéré
Où pourra maintenant s'incruster cette croix
À la place du glaive acide du dépit
À l'endroit pratiqué par le couteau fixé
Dont le manche remue un mal encore aigu
Chaque fois que ta main se retourne vers toi
Où s'incruste la croix avec ses bras de fer
Comme le fer qu'on cloue à l'écorce d'un arbre
Qui blesse la surface, mais la cicatrice
De l'écorce bientôt le submerge et le couvre
Et plus tard le fil dur qui blessait la surface
On le voit assuré au bon centre du tronc
C'est ainsi que la croix sera faite en ton cœur
Et la tête et les bras et les pieds qui dépassent
Avec le Christ dessus et nos minces douleurs.

Quitte le monticule impossible au milieu
Place-toi désormais aux limites du lieu
Avec tout le pays derrière tes épaules
Et plus rien devant toi que ce pas à parfaire
Le pôle repéré par l'espoir praticable
Et le cœur aimanté par le fer de la croix.

Mon cœur cette pierre qui pèse en moi
Mon cœur pétrifié par ce stérile arrêt
Et regard retourné vers les feux de la ville
Et l'envie attardée aux cendres des regrets
Et les regrets perdus vers les pays possibles

Ramène ton manteau, pèlerin sans espoir
Ramène ton manteau contre tes os
Rabats tes bras épars de bonheurs désertés

Ramène le manteau de ta pauvreté contre tes os
Et la grappe séchée de ton cœur pour noyau
Laisse un autre à présent en attendrir la peau

Quitte le monticule impossible au milieu
D'un pays dérisoire et dont tu fis le lieu
De l'affût au secret à surprendre de nuit
Au secret d'un mirage où déserter l'ennui.

# S'ENDORMIR
# À COEUR OUVERT

## [ET JE PRIERAI TA GRÂCE]

Et je prierai ta grâce de me crucifier
Et de clouer mes pieds à ta montagne sainte
Pour qu'ils ne courent pas sur les routes fermées
Les routes qui s'en vont vertigineusement
De toi
Et que mes bras aussi soient tenus grands ouverts
À l'amour par des clous solides, et mes mains
Mes mains ivres de chair, brûlantes de péché,
Soient, à te regarder, lavées par ta lumière
Et je prierai l'amour de toi, chaîne de feu,
De me bien attacher au bord de ton calvaire
Et de garder toujours mon regard sur ta face
Pendant que reluira par-dessus ta douleur
Ta résurrection et le jour éternel.

# [APRÈS TANT ET TANT DE FATIGUE]

Après tant et  tant de fatigue
Espoir d'un sommeil d'enfant

Un repos enfin meilleur
Après tous les sommeils noirs
Un bon repos nous invite

Ce soir à la fraîcheur des draps
La blancheur de l'oreiller
À l'abandon de la nuit

Au bonheur de s'endormir
Le cœur déjà délié
L'âme déjà allégée

Misérable dépaysé
Par le bonheur d'aller dormir

214

Non plus le plongeon de rage dans le noir
Non plus la fin du courage
Non plus la mort au mirage
Désespoir

Ma misère est effacée
Mais qui nous a visité
Et comment renouvelé

Pour que nous retrouvions ce soir
Confiance et la chaleur
De s'endormir en oiseau
D'être enfant pour s'endormir
Dans la fraîcheur de son lit
Dans la bonté protectrice
Qui flotte deux dans le noir

Qui nous a renouvelé
Sainte Vierge ? Mes souliers
Sont sous mon lit doucement

Qui nous a tout récemment
Retourné si simplement
Tout faux détour effacé
Reposé si simplement
En ce lieu d'être un enfant
Qui s'endort doux et confiant

S'endormir à cœur ouvert
Mince feuille, endroit, envers
De s'en aller en sommeil
En musique de sommeil
Par ondes qui nous pénètre
Simplement et bonnement
Comme on s'en irait au ciel.

## [LES CILS DES ARBRES]

Les cils des arbres au bord de ce grand œil de la nuit
Des arbres cils au bord de ce grand œil la nuit
Les montagnes des grèves autour de ce grand lac calme
                                          le ciel la nuit
Nos chemins en repos maintenant dans leurs creux
Nos champs en reposoir
              avec à peine le frisson passager
dans l'herbe de la brise
Nos champs calmement déroulés sur cette profondeur
                        brune chaude et fraîche de la terre
Et nos forêts ont déroulé leurs cheveux
                                    sur les pentes...

# POÈMES AJOUTÉS

# LE SILENCE DES MAISONS VIDES

Le silence des maisons vides
Est plus noir que celui qui dort dans les tombeaux,
Le lourd silence sans repos
Où passent les heures livides.

On dirait que, comme le vent
Qui siffle à travers les décombres
Des vieux moulins tout remplis d'ombre
Passe, toujours se poursuivant,

L'heure, passant par ce silence
Comme si le pendule lent
Qu'une antique horloge balance
La comptait à pas lourds et lents,

Passe sans rien changer aux choses
Dans un présent cristallisé
Où l'avenir et le passé
Seraient comme deux portes closes

Et dans ce silence béant
On dirait, tant le temps est lisse
Que c'est l'éternité qui glisse
À travers l'ombre du néant.

# [ENTRE LE CIEL ET L'EAU]

Entre le ciel et l'eau, je suis entre le ciel
Qui est hier fixé dans l'azur du passé
Un ciel qui n'est pas immobile mais qui reste
Le même presque — Et l'eau de l'avenir qui fut
                                        troublante et donne
le vertige, où se reflète le ciel d'hier
pareil, mais pas du tout de la même façon
Instable, comme glissant, d'un pas mal sûr
Inquiet comme se tenant sur une boule,
Et puis aussi selon les ondulations
Changeantes toutefois, plus profond ou plus clair,
Allongé par des bouts et raccourci par d'autres
Très incertain, assurément, très incertain
Et je me tiens ainsi, entre le ciel et l'eau
Appuyé tout contre le ciel sans empêcher
la clarté que je fais irrévocablement
Vers l'eau, vers l'eau mal sûre et pleine
d'inconnu, fascinante parfois ou qui fait peur
Selon que tel reflet s'allonge ou se restreint
prend toute la place ou la laisse à un autre
toujours selon les ondulations.

# [Ô POÉSIE ENFIN TROUVÉE]

Ô poésie enfin trouvée ! Ô bon dégoût qui vous déchire
Au fond, jusqu'au bout, dans la chair
Et qui vous éperonne l'âme qui rebondit
Enfin et se retrouve assise auprès de Dieu
Car dans toutes les plaies ouvertes et qui saignent
À travers la déchirure qu'elles font
Luit la lumière où toute vie change de face
Où toute la laideur qui faisait mal s'efface
Si qu'il ne reste enfin que la douleur qui fait du bien.

Ô poésie ! tu m'apparais dans mon amour
Elle, le voile donc un ange en ma pensée
Car je suis dépouillé de toutes mes laideurs,
La faiblesse où je fus dans la fange et le sang,
Le mal autour et surtout le mal en moi se sont évanouis
Et par la déchirure transparaît la lumière
Métamorphosant tout. Et je vois clair enfin.

Ô poésie ! c'est toi, Joie et Beauté, enfin !
De sorte qu'elle est ange, elle, la bien-aimée
Qui fut un jour aussi une femme de chair
Pour moi. Mais elle est ange, et ma rédemption
Celle-là dont la chair avait été complice
Avec ma chair à moi, dans ces jours aveuglés
Mais voici qu'elle est ange enfin dans la lumière

Et redevenus fiers, nous levons vers les cieux
Qui nous accueilleront, des regards pleins d'azur.
Elle qui fut mon lourd lien à ses péchés
Maintenant que le ciel est ouvert à nos pas
Sera comme une étoile intacte à mon ciel pur
Ah ! Tu me guideras, cher cœur que je possède
De la bonne façon, vers la beauté suprême
Tu seras mon refuge au loin de la tempête
Qui gronde sans arrêt au bord de ma faiblesse
Tu seras cet amour et cette piété
Dans lesquels, te voyant en Dieu et Dieu en toi,
Je veux aller toujours vers la bonne Beauté.

# [QUAND LA FATIGUE MORNE]

Quand la fatigue morne éteint l'avidité
L'âpre curiosité et le désir énorme
Lorsque les yeux vidés comme un phare sans feu
Ne découvrent plus rien au long des flots obscurs
Envahis tout à coup de brumes ténébreuses

L'esprit tel un coursier qui s'abat vers le soir
Rompu, bavant, et ne sent plus de tout,
De la route effrénée et du jour traversé
Que l'halètement sonore et douloureux
De son cœur sourd, trébuche et tombe à la renverse

# [QUAND LOIN DE TON CŒUR]

Quand loin de ton cœur, ton cœur vénéré
Quand loin de ta chair, ta chair fraternelle
Quand loin de tes mains, colombes plus belles,
Quand loin de tes pieds, tes pieds adorés.
Quand loin de ta vie, ta vie désirée
Quand loin de tes jours je serai parti
Ils me resteront, tes yeux agrandis

## LES PINS

Les grands pins, vous êtes pour moi semblables à la mer.
La rythmique lenteur de vos balancements,
Vos grands sursauts quand vous luttez contre le vent,
Vos rages soudaines,
Vos révoltes,
Ces grandes secousses qui jaillissent de vos racines,
De vos racines inébranlables,
Et tout le long du tronc,
Tout au long du centre résistant
(Les secousses qui s'amortissent dans les racines, dans
le tronc, où tout meurt dans la paix et le calme.)
S'en vont mourir à votre surface
Dans le vert glauque des feuillages
Qui frémissent au vent dur
Et votre faîte se renverse comme une tête cabrée.
Chaque tête de la forêt frémit,
Mais d'un frisson intérieur
Qui circule à travers le bois élastique des troncs
(tendus)

Dans la grande masse de la forêt
De sorte que c'est bien semblable à la mer.

# [LES CHEVEUX CHÂTAINS]

Les cheveux châtains en poussière qui sont comme des rêves flous, auréoles sans consistance qui ne sont que comme un cadre.

Les cheveux noirs qui sont comme des serpents onduleux sur l'oreiller et qui semblent vous enlacer, de glissantes tentacules.

Les cheveux roux, mer de feu, sanglants sous la lumière, non pas calmes jamais mais comme l'ardeur de charbons intérieurs, non pas doux mais crispés d'emportement, où nul ne se repose mais où tout brûle.

Vous êtes, châtains, les seuls qui sachiez descendre dans la nuque et y mettre votre poussière, comme une chute qui écume en eau éparpillée. Mais les blonds sont le duvet de la peau qui chatouille la langue.

Des cheveux fous et gris qui sont comme des aiguilles dans les mains.

Les larges cheveux noirs aux longues houles qui sont un bercement.

Les cheveux blonds pâles, où le regard se heurte comme le soleil sur l'eau, qui sont comme des ondes claires mais sans transparence.

Les cheveux noirs qui comme la nuit sont sans fond, où plonge le regard jusqu'à l'infini.

Et d'indicibles épouvantes naissent à ces lueurs mouvantes

Tordues au vent rageur qui vente.

# [J'AVAIS SON BRAS]

J'avais son bras d'eau fraîche autour de mon cou
Et la brûlure de son ventre sous mon épaule
Et ma tête était portée sur le spasme misérable
                                        de son corps
Roulée sur cette suffocation misérable
Sur cette respiration malade
Et dans mes yeux qu'on ne peut fermer
L'horreur d'un plafond bas et blanc
Et cependant autour de mon cou
Son bras incroyable restait d'eau fraîche

# [LE JOUR, LES HYMNES]

Le jour, les hymnes furent pauvres

Il leur a fallu le crépuscule, la venue de la nuit

Nos chemins
Nos champs
Nos forêts
Nos montagnes

La terre est en repos
Sa respiration n'a plus besoin de voix pour chanter
Les montagnes des grèves autour de ce grand lac calme
        le ciel la nuit
Les arbres cils au bord de ce grand œil la nuit

Les hymnes n'ont jamais été si pauvres
Que durant cette journée où nous avons cherché
        la terre à nous désâmer
Où nous avons tant recherché notre reflet fantôme
        la terre
Nous n'avons jamais été tant et si mal blessés
Que par ce soleil étranger dans le ciel que nous
        n'avons pas créé

Que par ce soleil qu'il a fait que nous n'avons pas créé
Les hymnes n'ont jamais été si pauvres si délaissées
Que ce jour où nous avons voulu prendre le soleil
à témoin de notre lumière

Et lorsque nous sortons la tête de sous notre toit
nous voyons
La nuit d'un seul grand œil immense
(le ciel) regarder la terre
Comme une grande femme en repos
la terre respirante qui dort

Nous sommes-nous agités suffisamment cette journée
Avons-nous assez promené l'anxiété de notre soif
          dans la journée
Avons-nous assez recherché la terre fantôme
Avons-nous assez cru assez douté
Le soleil nous a-t-il fait assez de mal, assez de bien
Les hymnes pendant ce temps ont été pauvres

Il leur a fallu maintenant cette heure depuis
          le crépuscule
Quand l'horizon est monté s'étendre au bord du ciel
          comme un bon chien
Et puis petit à petit toute la terre s'est étendue dans
          sa vallée pour s'endormir
Toute la terre s'est détendue avec ses épaules
et ses vallées
Et sa respiration maintenant n'a plus besoin
de voix pour chanter

## POSTFACE

Les travaux critiques entrepris depuis une quinzaine d'années et publiés récemment par le R.P. Benoît Lacroix, O.P. et M. Jacques Brault rendaient nécessaire la présente réédition des Poésies de Saint-Denys Garneau dans la collection du Nénuphar. Une telle réédition ne pouvait être, cependant, une reprise pure et simple de la partie consacrée à l'œuvre poétique de Garneau dans l'édition monumentale *, parue en 1971 aux Presses de l'Université de Montréal. Car il importait de conserver à l'ouvrage le caractère propre aux titres de la collection dont il fait partie.

Rigoureusement documentaire, l'édition Brault-Lacroix présente le texte intégral et critiquement établi d'environ deux cents poèmes « dont les trois quarts ont été écrits avant 1935 ». Elle a pour but de multiplier « les possibilités de signification » de l'œuvre du poète « par le jeu des versions, des variantes et par le rappel des ratures et des lacunes ». Pour ce faire, elle ne néglige aucun détail susceptible d'éclairer la démarche créatrice de Saint-Denys Garneau, de souligner tel ou tel aspect de sa quête poétique. Les auteurs de cette édition ont délibérément choisi de « tout publier », laissant à l'histoire et à la critique le soin de juger.

Il ne fut jamais dans l'intention de M. Jean Le Moyne et de M. Robert Elie, au moment de la préparation de l'ou-

---

* Saint-Denys Garneau, Oeuvres, Texte établi, annoté et présenté par Jacques Brault et Benoît Lacroix, Montréal, Les Presses de l'Université de Montréal, 1971, 1320 p.

*vrage destiné à la collection du Nénuphar, de présenter de manière exhaustive l'œuvre poétique de Garneau. Les poèmes du collégien et les esquisses de poèmes en prose difficilement détachables du* Journal *furent écartés. Pour* Regards et jeux dans l'espace, *l'édition originale, préparée par l'auteur, fut fidèlement reproduite. Quant au recueil de poèmes inédits,* Les Solitudes, *il fut constitué à partir de plusieurs poèmes recopiés par Garneau dans son* Journal *et de brouillons. En dépit de son titre, cette édition était à proprement parler le résultat d'un choix et tenait plus de l'anthologie que de l'«œuvre complète». Et cela s'explique puisque, en 1949, l'accès aux manuscrits de Saint-Denys Garneau était plus difficile qu'il n'est aujourd'hui.*

*La présente édition rassemble tous les poèmes de l'édition antérieure plus quatre pièces datées et cinq pièces non datées, empruntées à l'édition Brault-Lacroix. Certains poèmes, parus dans la collection du Nénuphar, demandaient à être rétablis d'après l'édition critique publiée par les Presses de l'Université de Montréal. Le lecteur les trouvera ici dans la forme et la version retenues par les auteurs de cette dernière édition, car il nous a semblé que le résultat d'un aussi minutieux travail de recherche que le leur présentait de nombreux avantages et une indiscutable garantie de précision. Quant à la modification du titre de l'ouvrage, elle s'explique par le fait que nous n'avons pas jugé utile d'y reproduire certaines pièces tenant plus de l'esquisse que du poème.*

*Nous remercions le R.P. Lacroix, M. Jacques Brault et la direction des Presses de l'Université de Montréal dont la collaboration nous a permis de réaliser cette nouvelle édition.*

*L'Editeur*

## TABLE DES MATIÈRES

# REGARDS ET JEUX
# DANS L'ESPACE

# LES SOLITUDES

Dépôt légal — 1er trimestre 1972
Bibliothèque nationale du Québec